Bible for
Corporate Sales
Practical know-how that can be used
from tomorrow

法人営業バイブル

明日から使える実践的ノウハウ

リクルート出身　　　　元リクルートスタッフィング
MBAホルダー　　　　　テストセールスセンター長
大塚　寿　❦　**井坂智博**
Hisashi Otsuka　　　　　Tomohiro Isaka

PHP

はじめに

　2003年11月、拙著『リクルート流——「最強の営業力」のすべて』（PHP研究所）を上梓したところ、当時法人営業について体系的にまとめられた本がなかったために、現場からの支持を受け、ありがたいことに現在でも版を重ねている。

　その中で紹介した営業の体系や方法論に対する問い合わせや、講演、研修などの依頼を多数頂戴した。法人に対しては研修などによって期待に応えることができたと思うが、個人の読者に対してはそのような対応ができなかった。

　読者の声としては、「書店にならぶ営業の本は、保険のセールス、英会話の教材など個人を対象にしたものばかりで、法人営業の参考にならない」「『法人営業』とか『ソリューション営業』とかのタイトルの本を見つけて手にとっても、結局それがコトラーのマーケティングの焼き直しだったり、戦略系コンサルティング会社のコンセプトの紹介だったりで、法人営業の現場の実務とはまったくかけはなれている」から始まり、著者にとっても耳の痛いところでは、"『リクルート流——「最強の営業力」のすべて』は一番ましだったが、もっと生々しい、コテコテの法人営業実務の本を"という要望も少なくない。

　一般的には、そのような希望に関してはコンサルティングに入らせていただくか、カスタムメードの若干長めの営業研修、並走型の営業研修で対応させていただくのだが、マンパワーに限界があり、"完熟トマトはうまくても大量生産できない"がごとく、限られた対応しかできない状況にある。

　そこで、本書においては『リクルート流』の第6章で紹介した"最強の営業力——7つのスキルと62の技術・要素"をベースとして、

さらにそれらを単なる営業論としてあるべき姿を論じるのではなく、読者の皆さんが現場で実践できるような"見本、手本、注意点"を明示し、現場で実践し、業績を上げていただくための活動手順を伝えたいと思う。

現場で戦う人々に「こういう実践的な手引書がほしかった」と喜んでいただくために、すべて直近の事例をベースとし、現物の分析シート、仮説設定シート、トークスクリプト、管理帳票などを明示することにした。見本として営業ナレッジ（暗黙知）を明示し、実例も多用していきたい。

本音を言えば、「"最強の営業力──7つのスキルと62の技術・要素"は体系には違いないが、網羅的なので、もっと深く泥くさいところを知りたい」という声に応えるのが本書の目的である。

本書が読者の期待に応えられるか否かは、その内容が、現場の皆さんにリアリティーをもって受け入れられ、さらに兆し（きざ）となるヒントや具体的事例がどれだけの量をもって、提供できるかにかかっている。

そのことに関して、日米をあわせ法人営業歴20年の私であっても不十分と考え、その不足を補うパートナーとして井坂智博氏との共著とすることにした。

井坂氏はリクルートの2年後輩で、リクルートを"卒業"後、創業し、数社のオーナーとなった起業家だ。

軌道に乗せた1社を大手広告代理店に売却するなど、若くして事業に成功し、富を築いた実業家でもある。

さらに彼が変わっているのは、自らオーナーを務める企業が成功すればするほど現場から離れ、売上げや利益の経営業務に追われることに面白さが感じられなくなり、経営から退いてしまったことだ。

その後、シリコンバレーの現場に触れるため渡米。リアルで合理的なITベンチャー企業や官民一体の企業育成などを目の当たりにし、日本の対極にある営業手法を学ぶ。アメリカで過ごした後、リクルー

トグループに復帰した。

　リクルートグループの中で唯一、営業のアウトソーシングを行っているセンターがあり、彼はその立上げから責任者として、短期間で成果の上がる新規営業の最適な営業プロセスづくりから実務の運用までを仕切ってきた。

　この3年間に176件を手がけ、1000名以上の営業担当者を「売れる営業マン／ウーマン」に変えた。その現場で吸い上げた成功法則、失敗パターンと筆者のこれまでの法人営業の実務とコンサルティング経験のコラボレーションの成果が本書だと理解していただきたい。

　井坂氏の176件が非常に具体的だったので、筆者もこの11年間の担当案件を数えたところ398件だった。

　両者の内訳は、その多くは大手企業であるが、中堅、中小企業も少なくはない。また、サービス業とメーカーのバランスはザックリいって6：4程度であろう。

　以上のことから、本書は日本の550件を越える法人営業の業績向上のエッセンスに他ならない。そのエッセンスをわかりやすく読者に伝えるため、事例やチャートを満載した。

　二人でテーマを練って、そのテーマごとにブレスト（ブレーンストーミング）し、分担して綴った。Ⅰ、Ⅱ、Ⅲ章1項～5項、Ⅳ、Ⅴ章は主に大塚が、Ⅲ章6項～7項、Ⅵ章および図表の作成は主に井坂が担当した。

　末筆ながら、今回の企画を全面的に応援して下さり、編集の労をとっていただいたPHP研究所の白石泰稔氏、細矢節子氏に、この場を借りて深謝したい。

2006年4月吉日

　　　　　　　　　　　　　　　　　　　　　　　　大塚　寿

法人営業バイブル　目次

はじめに

I 法人営業の勝者になる！

1. 個人営業との7つの違い ……………………………………… 12
2. 成功のキーは扱う商品によって違う ………………………… 14
3. 営業の業務フローを自分で描くと営業力が向上する ……… 16

II バイブル1　成功の50％はアプローチ準備で決まる

1. 商材の「強み」を把握する ……………………………………… 20
2. ターゲット顧客を絞り込み、優先順位を決める …………… 22
3. 受注確率の高いアタックリストの作り方 …………………… 24
    ①帝国データバンクを活用する場合 ……………………… 24
    ②ダイヤモンド役員・管理職情報ファイルを活用する場合 …… 25
    ③web情報からリスト作成する場合 ……………………… 26
    ④国会図書館を使う場合 …………………………………… 27
    ⑤セミナー、イベント出席者リストを活用する場合 …… 28
    ⑥訪問時の名刺を活用する場合 …………………………… 30
4. 目的を達成する営業方法 ……………………………………… 32
    ①顧客の課題をマーケティングする場合 ………………… 33

②顧客の課題解決策を探る場合 …………………… 34
　　③見込客を発掘する場合 ……………………………… 35
　　④既存顧客をフォローする場合 ……………………… 36
　　⑤休眠顧客を掘り起こす場合 ………………………… 37
　　⑥セミナー・イベントの参加を募る場合 …………… 38
　　⑦セミナー・イベント後のフォローの場合 ………… 39

5. 受注に成功する営業のツールとトークを準備 ………… 42
　　①役に立つ営業ツールの作り方 ……………………… 42
　　②使えるトークスクリプトの作り方 ………………… 47
　　③有効なヒアリングシートの作り方 ………………… 56
　　④的確に答えられるQ&A集の作り方 ……………… 63
　　⑤役に立つ切り返しトーク集の作り方 ……………… 65
　　　　　新規アポイント獲得【リードゲットの場面】… 65
　　　　　【クロージングの場面】 ………………………… 75

6. 決裁者、キーパーソンの探し方 ………………………… 77
　　①帝国データバンク、ダイヤモンド社
　　　などのリストからフルネームを入手 ……………… 78
　　②セカンドゲイトキーパーから聞き出す …………… 78
　　③他部門のキーパーソンを紹介してもらう ………… 80
　　④政府各所管法令審議内容や規制などの
　　　話題でゲイトキーパーを突破 ……………………… 81

7. 決裁者、キーパーソンへのアプローチに成功する方法 … 83
　　①顧客の課題解決に役立つ商材であること ………… 83
　　②役員は最初の25秒のトークが勝負 ……………… 84
　　③部長、部門長は課題をフックにアポ獲得 ………… 85
　　④現場の担当者、課長は課題感の共有トークで …… 86
　　⑤「情報交換」を突破口に深耕 ……………………… 86

8. 営業シナリオをフローで描き共通財産にする ………… 88

9. アプローチの成功法則 ……………………………………… 92
①リストを見込別に３つの集団に分ける ………………………… 92
②断り、障害への対策を事前に準備する ………………………… 93
（1）そのリストは有効か ……………………………………………… 94
（2）受付、ゲイトキーパーでアウト
　　　──「断られ方」を研究して打つ手を考える ………………… 94
（3）キーパーソン、担当者でアウト
　　　──突破に成功する３つの方策 ………………………………… 94
（4）自分だけアポが取れない
　　　──自分の課題をはっきりさせる ……………………………… 95
（5）ヒアリングができない
　　　──相手が答えやすい質問をする ……………………………… 96

③返しトーク集でアポ獲得率アップ …………………………… 97
（1）ゲイトキーパーを突破する６つのトーク …………………… 97
（2）セカンドゲイトキーパーを突破する２つのトーク ……… 102
（3）キーパーソン、担当者を説得する２つのトーク ………… 103

④運を味方にするやり方 …………………………………………… 104
（1）落としたい企業は、14営業日目にアプローチ …………… 104
（2）ピンチはチャンス、決してあきらめるな ………………… 104
（3）社会の変化を読みとる感度を磨け ………………………… 105

⑤こまやかな心遣いも重要な成功要因 ……………………… 106

III　バイブル2
ヒアリングは「営業の肝」

1. 受注はアプローチ準備とヒアリングで100％決まる ……… 110
2. 開口一番相手が喜ぶ話題で心をつかめ ……………………… 111

①座が盛り上がる3つのスモールトーク 111
　　②主導権はこちらで握れ 114
　　③顧客自身のネタなら話が弾む 114
　　④他社の成功・失敗事例は効果抜群 116
3. 相手の課題を聞き出す極意 117
　　①相手を知る
　　　　──業界ごとの特性、現状を把握する 117
　　②場の空気を読み、臨機応変に対応 118
4. 無関心、ネガティブな相手への対応策 121
　　①課題解決に意欲的な上位役職者に会う 121
　　②商談を見極めるタイミング 123
　　　（1）「課題の話」を繰り返しても課題を共有できない 123
　　　（2）3カ月以上決裁者に会わせてもらえない 123
　　　（3）提案の回答を1カ月以上保留し続ける 123
　　③課題感のない企業は、機が熟すまで
　　　テレマフォロー部隊に移す 124
5. ヒアリング後、受注につなげる秘訣 125
　　①受注までのシミュレーションをする 125
　　②受注確度を評価し、打つ手を決める 125
6. リードゲット（見込客発掘）のための成功法則 128
　　①ミッションを明確にする 128
　　②アポまでいかなかった案件も記録する 137
　　③個人目標成果表の作成で課題がわかる 138
　　④進捗ダービー表で気分を盛り上げる 140
　　⑤全体の業務をA4用紙1枚にまとめると
　　　「自分流の勝利の方程式」が見つかる 142
　　⑥一次訪問の目的は「お客様の理解」 145
　　⑦営業履歴を分析してヒントをつかめ 148

⑧訪問日報から最適な営業方法が見えてくる……………150
　⑨営業指標がよくわかるDBの作り方……………………153
　⑩成果の上がるDBに必要な項目…………………………153
　⑪DBを分析し、戦略的な営業を構築……………………156
　⑫営業履歴は全員同じ基準で記入する……………………159
　⑬DBを読んで優先順位を決める…………………………160
　⑭開始１週間で作戦を作る…………………………………161
　　（１）担当者のつかまりやすい時間帯をねらう………161
　　（２）受付が厳しい企業は事前にキーパーソンを調べておく…162
　　（３）部門別アポ獲得攻略法……………………………164
　　（４）秘書や事務局長などを介したアポの取り方……164
　　（５）営業シーンにふさわしいヒアリングを…………164
　⑮先方からの電話対応フローを全員に徹底せよ…………165
7. モチベーションをアップし成功スパイラルを作る……167
　①とにかく誉める・励ます・話し合う……………………169
　②表彰・垂れ幕・ランチインセンティブで
　　成功をシンボル化する……………………………………174
　③誉めることで「できる営業マン／ウーマン」に変身…178

IV　バイブル3　企画立案は「聴く力」で差がつく

1. 顧客と一緒に解決法を考える営業…………………………182
2. 顧客の期待を超える提案……………………………………184
3. 企画立案の極意………………………………………………185

① "たたき台"を基に作り込む ……………………………… 185
② 企画を魅力的に見せるコツ …………………………… 186
　（1）KFS（Key Factor For Success：突破口）を見つける …… 187
　（2）落としどころで顧客の期待に応え切る …………… 188
　（3）ロジックで見栄えよく仕上げる …………………… 188
　（4）レファレンススキルを磨き、必要な情報を入手 …… 189
　（5）相手の好みを反映させた表現で …………………… 190
③ 知っている事例の数は説得の武器 ……………………… 191
④ ハロー効果を利用して権威アップを …………………… 192

バイブル4
Ⅴ プレゼンとクロージング、最後の詰めは確実に

1. プレゼンには印象づける演出を盛り込む ……………… 195
2. 「強み」を売り込み「勝負の土俵」を選ぶ ……………… 196
3. 「決める側の思考」でプレゼンのシナリオを描く ……… 197
4. 「No」と言わせないクロージング ……………………… 198
　① 否定的反応を先回りして潰す ………………………… 198
　② キーパーソンを間違えないこと ……………………… 199
　③ 主導権を取って進める ………………………………… 199
　④ 案件見切りのタイミング ……………………………… 200
　⑤ 申込書、発注書でクロージングを演出 ……………… 201

VI 受注に成功する営業業務のゴールデンルール

1. 営業業務の優先順位を見極める……………………………205
2. 営業履歴を入力し、ゴールまでのペースをメイクする………208
3. 行動量セルフチェックシートで課題に前向きに取り組む……212
4. ヨミ表で商談化までの「次の一手」を考える………………216
5. 受注案件をプロファイリングしヒントをつかむ……………220
6. 振り返り、仮説検証による「勝ちパターン」の発見…………221
7. 常に「顧客の期待に応えたい」という心構えを持つ…………225

おわりに

装丁　一瀬錠二（Art of NOISE）

I
法人営業の勝者になる！

1．個人営業との7つの違い

　これまで、法人に対する営業も個人に対する営業も、同じ「営業」として十把一からげにとらえられることがほとんどだった。
　私がリクルートに入社した20年前、上司から何か1冊営業の本を読むように勧められて、品揃えが充実していそうな大きな書店に向かった。
　書店には営業本コーナーが設けられ、手にとってみたくなるような威勢の良いタイトルの書籍が並んでいるのだが、実際に目を通してみると、ほとんどが百科事典、生命保険、そして英会話などの業界でのトップセールスたちの体験談だった。
　読物としては面白いし、営業に役立つものもあったのだろうが、営業の体系やロジックとは無縁の体験談であって、参考にはならないと感じたのを鮮明に記憶している。
　資格試験や入試では、その科目ごとに"バイブル"といわれる名著があるし、広告業界にオグルビーの『ある広告人の告白』や『「売る」広告』といった"読んでない奴はもぐり"的な書籍があるが、法人営業にはそのたぐいの本はないと、その時に悟った。
　では、法人営業と個人への営業とでは何が違うのだろうか。とくに顕著な違いは7つある。下記に紹介すると次のようになる。

（1）売り手も買い手もプロ
　プロが「素人」に営業する個人への営業よりも深い知識と広い経験を要求される。
（2）顧客数

個人と比較し、法人数ははるかに少ない。

(3) 金額

個人への営業は最高でも家、マンション、土地の数千万円台。保険、金融商品でも数百万円〜数十万円台だが、法人営業では数桁上の額も。

(4) 登場人物の多さ

個人の場合は多くても配偶者、両親くらいだが、法人営業の場合は使用する部門、評価する部門、発注をする部門それぞれの担当者、課長級、部長級だけですでに9名。キーパーソンを攻略するためのシナリオ作りは、推理小説の謎解きに近い要素も。

(5) 営業プロセスの長さ（手続きの多さ）

「アプローチ→ヒアリング→プレゼン→クロージング」という流れは一緒でも、個人への営業は家、不動産関係を除けば即決も可能なのに対し、法人営業は基本的に稟議。上記の登場人物の多さから、それぞれの対応から営業プロセスが長く、複雑になる。

(6) 頻度

新規営業はともかく、法人営業にはルートセールスがあるので、圧倒的に取引頻度が多い。

(7) バーター取引

法人営業独特の互恵取引。「御社製品を導入しているので、弊社サービスのご利用を」というもの。

2. 成功のキーは扱う商品によって違う

　法人営業、個人への営業の7つの違いは、営業活動の方法や最優先課題にも大きな影響を与えている。
　さらに、同じ法人営業であっても、形のある製品を売る営業と形のないサービスやソリューションを売る営業とでは、やはりKFS（Key Factor For Success：成功のキーとなる事柄）が異なるし、違った営業となる。
　形があるということは実は大きなアドバンテージになっており、多少営業トークが拙くても、サンプルやカタログがその特徴を顧客に訴えてくれるのだ。「ちょっと、お手にとって操作してみてください」と試用ができるものなら、なおさらだ。
　他方、形のないサービスやソリューションの営業が形のあるものの営業より難しいのは、結局のところ、やってみなければわからない可能性を売っているということにある。
　新卒の技術者を20名採用するため、採用広告に1億円を投資したとしても、採用できるかわからないし、それ以前に、20名の応募すらないかもしれない。『日経コンピュータ』の笑えないコラム「動かないコンピュータ」ではないが、10億円を投じて構築したシステムがまったく動かない可能性だってある。
　形のない可能性や見込みを営業するのだから、その裏付けとなるデータや他での実績など信頼に値する定量的、定性的な根拠を示しながらデモ（デモンストレーション）を行ったり、プレゼン（プレゼンテーション）を行ったりしながら、視覚に訴えられないハンディを補っているのである。

受注生産型の製品の営業と量産型の製品の営業も違わざるを得ない。量産型商材の営業に受注生産型商材と同じ営業工数（こうすう）をかけている会社、営業マン／ウーマンは要注意だ。コストがかかり過ぎている。
　私が言うまでもなく、量産型製品はコストが勝負になるため、まず価格ありきの戦いになる。
　一方の受注生産型商材も価格圧力は強いものの、まだまだ付加価値で勝負する余地が残されている。その付加価値も商材そのものが持つ以外にも納期の早さや、柔軟な対応といった属人的な要素や組織的特性がKFSになる場合も少なくない。
　直販制、代理店制の違いも営業活動に少なからず影響を及ぼす。
　二元論的な言い方となってしまうが、直販制の企業や事業部門は現場の力が強く、営業主導的である場合が多く、逆に代理店制の企業は営業企画部や経営企画部などの間接部門が主導権を取っているという印象が強い。
　そうなると調整業務が多くなり、社外営業の他に"社内営業"という業務が発生し、スピーディーな対応にブレーキがかかるとともにコストアップの遠因となるケースがある。
　直販制はマネジメントをダイレクトに反映させやすいものの、コストが高く、短期間に全国を網羅することは不可能に近い。
　代理店制は低コストで広範な営業網を敷くことを可能にしているが、販売目標、商談管理といった営業マネジメントはコントロール外であるし、緊密に関係を構築していかないと「売れないから売らない」「売らないからケアしない」関係にもなりやすい。

3. 営業の業務フローを自分で描くと営業力が向上する

　今以上に営業力を強化したいという企業・組織は、その部門の一営業マン／ウーマンが営業全体の業務フローをしっかり描けるかどうかからチェックするとよい。

　営業の業務フローに関しては当該企業のどこかには存在している場合が多いのだが、営業マン／ウーマンが自ら描いていることは少ない。

　多いのは営業企画部門主担で作成し、営業部隊に下ろしたが、その存在を忘れてしまったケースや、BPR（Business Process Reengineering）やSFA（Sales Force Automation）の準備のために情報システム部の人間やコンサルタントが営業部門からヒアリングして作成したが、営業部隊は作成に協力しただけでその効用を活かしていないケースだ。

　営業の業務フローの作成は営業の流れを可視化し、平準化し、改善の余地を見出し、営業を進化させることが第一の目的である。

　組織的にそのフローを作成し、保管しておくことはもちろん望ましいことであるが、営業力向上のためには、一人ひとりの営業マン／ウーマンが作成することに意義がある。

　組織的に取り組んだものは営業マン／ウーマンにとっては与えられたものになり、営業力向上の道具にはならない。

　営業力向上を第一義とするなら、営業マン／ウーマン自らが自らの営業の業務フローを描き、自らの営業を客観視することだ。

　自らの手を動かし、紙に落とすなり、パソコンの画面に落とすことこそが重要であって、ゆめゆめ「頭の中にあるから、あえて紙に落とす必要などない」と思ってはいけない。自分で描いて、他の人と比較

すれば、必ず新しい発見がある。

　もっと言えば、実は半数の営業マン／ウーマンはこの業務フローがザックリとしか描けない。緻密に漏れなく描けるのが、トップセールス共通の特徴でもある。

　コンスタントに好業績をあげる営業マン／ウーマンの業務フローは、ヒントに満ち溢れている。その中には"これぞ営業の肝"というべき動きや、"神は細部に宿る"をモットーとしているような、何気ない小さな動きの積み重ねが行動レベルで記されている。

　優秀な営業マン／ウーマンほど自分の営業ノウハウや勝ちパターンをオープンにすることを嫌うものだ。2000年前後に流行った「ナレッジ・マネジメント」が市民権を得なかった遠因もここにある。

　大きな声で言いたくはないが、この業務フローの作成を営業研修で取り組むと、営業力の底上げに効果がある。理由は単純で、実践的で身近なベンチマーキングとなるからだ。

　経験の浅い人にはうってつけの方法なのだが、実は伸びしろが少なくなった3年目、5年目といった、いわば一人前となった営業マン／ウーマンの育成にも最適だ。

II

バイブル1

成功の50％はアプローチ準備で決まる

1．商材の「強み」を把握する

　法人営業を開始する前のアプローチ準備は、自社の商材の評価から始まる。最初に断わっておくが、営業がうまくいくかどうかの5割以上は、このアプローチ準備いかんに左右される。

　営業戦略──つまり自社商材の強みは何で、その強みでどの分野を攻撃するかを決定し、営業戦術、つまりアタック先で自社商材の強みを存分に発揮させる具体的な方法──が営業の成果を決定すると言っても過言ではない。

　ただ漠然と自社製品やサービスを営業するのは、言わば"作戦なき営業"で、「営業工数の割に、もっとも成果が上がらないやり方」と言わざるを得ない。

　営業戦略、営業戦術の肝は、自社の製品やサービスの強みと弱みの把握である。強みと弱みの評価で大切なのが、「何が、どこに、どのくらい強いか」、つまりどんな業界のどんな部門に、その商材がどのくらいのインパクトを持って迎えられるか、その強みで競合とどのくらい戦えるかを事前に押さえておくことである。

　強みというのは性能、品質、機能特性、操作性、価格、広告・広報の上手さだけでなく、納期や特注などの具体個別性への柔軟な対応力、カスタマイズ力なども対象となる。

　競合と比較し、これらの何が相対的にどのくらい強いか、あるいはどのくらい弱いかを定量的なところまで落とし込めれば、営業部隊全体の営業活動にキレが出てくる。

　当然のことではあるが、営業活動は自社商材の「強み」に軸足を乗せて展開する。各社横並びで明確な強みなど存在しない場合であって

も、なんでもよいので、相対的に強いと思われるポイントに絞って争点のある営業をすべきである。

　横並びということは競合にとっても同じ状況なので、お行儀はよくないが「言ったもの勝ち」という側面もある。

　多くの営業マン／ウーマンは絶対的な強みを求めるが、だいたい絶対的な強みのある商品やサービスなどは存在しないと思うし、もしあっても、絶対的な強みがあるものなら営業部隊を持たなくても売れるので、コストをかけずに販売するに違いない。

　したがって、相対的に強いポイントを見出すだけで十分と認識し、少しだけ肩の力を抜くことをお勧めしたい。

2. ターゲット顧客を絞り込み、優先順位を決める

　営業の鉄則は、「買ってくださる」確率がもっとも高い順にアプローチすることである。

　とくに新規開拓営業の場合は、全営業対象企業の2.5〜3％は「待ってました！」とばかりに購入を決めてくれる。

　したがって、これらの顧客に対しては熟練の営業の技もテクニックも不要で、ただただ市場からどの企業がこのカテゴリーに該当するかをあぶりだすことがキーファクターとなる。

　たとえば現在、コンプライアンス（法令遵守）、個人情報保護法が企業にとってのホットな話題で、それにまつわるハード・ソフトの営業が活況を呈している。その中で、ハードディスクを持たないPCや管理者の遠隔操作によって一切の情報が消去できる携帯電話のソリューションなどが登場している。

　こういった商材の2.5〜3％の見込客に該当する企業は、どんな基準であぶりだせばよいだろうか。

　ハードディスクを持たないモバイルPCなら：

(1) 従業員1000名以上で
(2) 営業、フィールドエンジニア等がモバイルPCを持たないと著しく業務効率が低下する業種
　　→携帯電話、PDFの画面では小さすぎて代替できない
(3) 日々の出社が不要なMR等の営業職や派遣先業務のSEを抱える企業
(4) コンプライアンスをコストより優先させる社風を持つ企業

(5) 利益率の高い業種
(6) 社会的責任を持つ企業、団体
(7) 社員がパソコンを紛失し、記者発表した企業

　のような要領で絞り込んで、アタックの優先順位を決めていく。
　さらには、PCなら営業対象先は情報システム部、携帯電話なら総務か情報システムといった既成概念があると営業の歩留まりは向上しないので、ここは注意のしどころだ。
　会社の意思としてPCや携帯電話のセキュリティーが検討課題となって情報システム部に下りている場合以外は、それらは最初にアタックする部門ではなく、最初にアタックしてはいけない部門となる。
　なぜなら情報システム部門、総務部門ともコスト部門であって、社内的に強い発言権を持っている企業は皆無に近く、意思決定権は別の部門にある場合がほとんどだ。
　社長室、経営企画室、営業本部、営業企画部など、実際にそのPCや携帯電話を使用部門やそれらを戦略的に統括している部門の責任者からアプローチするのが正しい順番である。
　たしかに過去の経緯から、総務、情シス（情報システム部）を頭ごしにできない場合のほうが多いだろうが、それは知恵の使いようだ。相手が総務部長、情報システム部長である場合は別として、担当者や課長職である場合は、メインの窓口にしてはいけない。
　ご存じのように総務の職掌は多岐にわたり、アウトソーシング化や派遣社員の増加なども加わり、担当者はルーティーンにてんてこ舞いとなっている。
　そこに難解なソリューションを持っていっても、現行で運用しているものがあれば、優先度、緊急度の高い検討課題に映りにくいという心情を読まなくてはならない。

3. 受注確率の高い
　　アタックリストの作り方

①帝国データバンクを活用する場合

　現在、日本国内で法人営業を展開する企業がリストとしてもっとも多く利用しているのが、帝国データバンクのデータである。通称「帝国」と呼ばれるもので、同様の企業データと比較し企業属性を示す「適用」が一番充実しており、使いやすいと評価されている。よく使われるターゲットを絞り込む際の企業属性項目は：

（1）業種
（2）従業員数
（3）評点
（4）売上げ伸び率
（5）エリア

　などでクロス集計し、最重点見込客であるコアターゲット、重点見込客であるメインターゲットを絞り込んでいく。
　さらに、そのリストでのアポ獲得率、案件化率（商談化率）、受注率を測定し、営業特性を押さえたうえで、営業戦術を修正しながら営業を展開すると業績は最大化する。
　たとえばアポ獲得率・商談化率が高い企業属性が従業員数1000名のシステム業界と仮定して受注率を測定すると、必ずしもその数値が高いとは限らない。逆にアポ獲得率・商談化率が低くても、受注率が

高い企業属性が表れる場合もあるので、アポ獲得率が低いからといって、その数値だけを見て優先順位を下げてしまうと、機会損失を生むことになる。

ここで大切なことは、ただ漫然とリストに電話をかけるのではなく、必ず何らかの仮説を持って、傾向や相関関係の有無に気を配りながら活動することである。

イエローページなどの会社名や電話番号だけのリストでは属性が把握できないため、シンプルな商材以外は効率が悪い。

マンパワーに余裕がある場合は、件数重視の見込客発掘でも構わないが、そうでなければ、属性を絞った見込客からのアプローチが望ましい。

さらには、その属性に、現在の既存顧客やかつては取引があったが直近1年取引のない休眠顧客の属性をクロスさせ共通因子を探すと、ますます受注の歩留まりの高い営業活動が可能となる。

「帝国」のデータは電子データで購入できるため、以上のような加工がしやすく、SFAの設計時のスタートデータとして最適というメリットがある。

反面、電話番号が代表番号のみなので、キーとなる部署、キーパーソンを探さなくてはならないというデメリットもある。あるいは、情報が古いものも混じっているため、年1回更新のデータだと1000件中60件は異動や部署の消滅で使えない。

②ダイヤモンド役員・管理職情報ファイルを活用する場合

電話番号が代表番号のみだったり、人に関する情報が代表者のみだったりという「帝国」のデータの欠点を補完するデータとして、ダイヤモンド社の「ダイヤモンド役員・管理職情報ファイル」（以下「ダ

イヤ」）がある。

　ソリューション系の商材や高付加価値商材は最初から「帝国」を用いず、この「ダイヤ」のデータのみでピンポイントの営業を展開する場合も少なくない。

　ピンポイントのキーパーソンへのアタックにこの「ダイヤ」が最適なのは、社長、役員、部長の部署、フルネーム、学歴、趣味に至るまでのパーソナルデータが記載されているからである。

　個人情報保護法により、こういったデータはもう姿を消すと思いきや、2005年版までは部長までの自宅住所、自宅電話番号までが残っていた。また、上場市場名、本社所在地、支社・支店・営業所、事業部名まで詳細に記録されているので、これらの抽出項目によってクロス分析がかけられる。

　同じダイヤモンド社の『組織図・系統図便覧　全上場会社版』はキー事業部やキーパーソンを推測するのに威力を発揮する。

　新規で営業を仕掛ける場合や、大手企業を横展開する際、横展開の紹介を依頼する際に、該当部門に当たりをつけるのにも便利だ。

　ただし、このダイヤモンド社のデータはCD-ROMでも売っているが、エクセルなどには落とせず、紙による出力だけで、それも1回に出せる量は500社までとなっている。

　したがって、このデータを電子的にSFAの基本データとしてそのまま流用するということは、残念ながらできない。

③web情報からリスト作成する場合

　1990年代半ば以降のインターネット社会以前は、前出の「帝国」「ダイヤ」「商工リサーチ」「会社四季報（東洋経済新報社）」「リクルートブック」「イエローページ」といったリストが営業の定番であったが、この10年のインターネットの台頭によって、web情報を用い

てリストを作成するという手法も生まれた。

　具体的には、リクナビ、en、dip等求人媒体を利用して、その情報を元にリストを作成するのだ。

　求人情報がアタックリストとして優れているのは、企業属性を知る情報が満載されており、とくに初回のアプローチのトークのためのフック（手がかり）の創出やその企業の社風をイメージするうえでのエピソードに満ちているところが秀逸である。

　他にも「ホテル」「レストラン」「外食」「自治体」で検索し、そのデータを利用することもあれば、社団、財団法人等、その業界団体から加盟社リストを入手することも容易だ。

　さらには企業情報を深める方策として、各企業のホームページ（以下HP）を閲覧して、その企業の組織図を入手したり、事業内容を精査したりすることも多い。最近では、このような作業を専業で代行する企業も現れ始めている。

④国会図書館を使う場合

　国会図書館には「帝国」「ダイヤ」「商工リサーチ」「会社四季報（東洋経済新報社）」などの最新版が揃っているばかりでなく、これらを代替する会社情報や会社年鑑が豊富にある。

　最新版は開架となっており、自由に閲覧することができるし、さらに過去のものは平成○○年版、昭和○○年版であっても蔵書としてあるので、申し込めば20分程度で閲覧することができる。

　また開架には全国のイエローページがあるし、何よりすばらしいのは、業界誌、業界年報、業界団体年報、年鑑などが、開架では業界別にまとめられているうえ、蔵書では過去にさかのぼったそれらの書籍が簡単に検索でき、閲覧できるようになっている。

　業界年報や業界団体報には役員名簿や会員録が添付されていること

が多く、キーパーソンのフルネームから連絡先までを業界内のすべての会社から入手することが可能になるのだ。

アタックリスト作成のための利用以外にも、業界の旬(ホット)な話題を拾うために利用したり、代表的な新聞の縮刷版やマイクロフィルムの中から営業のヒントを見つけたり、営業のフック(手がかり)探しに利用するにも便利だ。

たとえば過去の雑誌や新聞の広告の出稿事例から当該企業のニーズや広告に対する姿勢、ポリシーなどを読み取り、新規営業のネタにするといった利用の仕方がベーシックなところだ。

基本的に国会図書館は欲しいものが全部あり、指定箇所のコピーまでしてくれる、まさに営業マン／ウーマンにとっての"宝"がザクザクの場所なのである。

⑤セミナー、イベント出席者リストを活用する場合

セミナーやイベントを見込客発掘の有効な場として活用している企業、もしくは活用したいと思っている企業は多いだろう。

ところが、なかなか思うような成果が出ずに期待倒れになるケースも多い。これまでに、もしそのような体験をしていたなら、「やりっぱなし症候群」を疑うべきだ。

セミナーやイベントというものは、やればいいというものではない。セミナーをやったはいいが、サンキューコールなりサンキューレターが2週間後ではほとんど効果はないと断言できる。

サンキューコールは翌日が基本だし、サンキューレターも翌日には投函したい。しかも直筆、For You感が感じられる一行も忘れてはならない。

では、このセミナー・イベントを営業の成果に直結させるには、ど

うしたらいいのだろうか。

　まず、その目的を明確にしておくことから始めたい。つまり、このセミナーをダイレクトに営業機会としてとらえるか、情報収集機会としてとらえるかでオペレーションが異なる。

　ここに共通するのは、前者のみに注力し、後者の意識が欠如している点だ。

　後者のオペレーション例を挙げておくと、セミナーやイベントを開催したら必ずアンケートを取って、参加者の属性を取得しなければならない。「アンケートくらい取っている」という企業がほとんどだろうが、問題はここからだ。

　今度の「やりっぱなし症候群」は、アンケートの取りっぱなしで、分析しようにも何をどうしていいかわからず、エクセルで参加者の声を定量化した報告資料を作成するのが関の山だったりするのだ。

　大切なのは、参加者の属性を取得し、属性別にその属性に見合ったアプローチを選択することだ。たとえば「顕在ニーズの有無」という属性に関しては：

（1）商品の入れ替えを考えている
（2）すでに競合他社の製品（サービス）を使っている
（3）課題感がある

といった属性ごとに、アプローチ方法はおろか、アプローチの順番まで異なるはずだ。

　「（1）商品の入れ替えを考えている」が見込客であるのはもちろんだが、「やりっぱなし症候群」は（1）に注力するあまり、（2）すでに競合他社の製品（サービス）を使っている企業、（3）課題感がある企業への対応を後回しにするうち、ついつい手付かずのまま忘れてしまうのだ。この機会ロスの集積が、「思うように成果が上がらない」要因の本質なのだ。

何のことはない、これらの機会ロスを最小限にするには、「継続的なフォロー体制、フォローメニュー、レビュー、定期的メンテナンス」を実施すればよいのだ。そのプロセスの中で、フォローから受注までの方法論が確立できるのである。

時として、先の「やりっぱなし症候群」企業は"セミナーから何件受注した""費用対効果"ばかりに注目するが、その視点に加え、"セミナー・イベントは見込客の発見から受注までのプロセスのスタート"という意識を同時に持たなければいけない。

なぜなら、すぐ受注につながる案件でなくても、フォローを必要とする案件や見込客を管理顧客として持てることは営業マンの士気にも大きな影響を及ぼすし、顧客内に知り合いを作る、内部情報を収集するといった訪問の口実になるのである。

⑥訪問時の名刺を活用する場合

お客様と交換した名刺の所有権は誰にあるのだろうか。「名刺は誰のものか」と考えた経験などない人がほとんどに違いない。

相手から頂戴した名刺はたしかに自分の名刺入れに納まり、取引が開始されれば名刺ホルダーに保存され、取引量が多くなり重要顧客にでもなれば、携帯電話にメモリ登録され、パソコンにも大切にメールアドレスが保存されるに違いない。それは「自分の名刺」という認識以外は持ちにくいだろう。

では、訪問したはいいが、まだニーズが顕在化しておらず、相手の課題感や関心も今ひとつの顧客や、業界トップ企業で潜在ニーズは大きいと期待して出かけたのに、相手はまったくの無関心で、ぶっきらぼうに対応された顧客の名刺はどうしたものか。

その営業の記録は日報に「ニーズなし」とか「1年以内に案件化の可能性は20％未満」と記載され、担当が代わるとか持ち主が異動し

たり、転職したりしてしまうまでは、ただただ机の中で眠っている。

この名刺の活用に関しても、機会損失を半分に減らそうとする活動を徹底するだけで、売上げは10〜15％は拡大するので注意したい。

まずは、名刺獲得の意義を再評価することだ。名刺獲得というのは、その相手が見込客であるという証である。そして、その相手の企業の全社攻略の橋頭堡であり、その一枚の名刺をフック（手がかり）として他部署へ横展開する糸口なのである。

したがって"お客様の名刺は個人のものではなく、会社の共有財産"という意識を持って営業の業務フローを設計していく。

もちろんニーズがあって案件化し、新規で受注した会社の名刺は自分自身のもので構わない。問題は、何らかの理由で案件化しない顧客の名刺だ。

新規の名刺はそのステータスにかかわらず、すぐにデータベース（以下DB）に落とし、そこから営業履歴を残すスタートラインにしなければ同じロスを繰り返すことになる。

またインターネット時代となった現在、名刺からwebを通して顧客の基本情報を得たり、メールアドレスをリスト化して新商品の案内、イベント、セミナーの告知などを行ったりして、案件化のタイミングを計ることも可能になっている。

営業には「時未だ来たらず、時未だ来たらず、時すでに遅し」といった絶妙のタイミングがある。

自分が営業した時には時期早尚ということだったのに、半年後に連絡したら、競合に決まりかかっていたケースなどは珍しい話ではない。相手の状況環境といったものは、すぐに変わってしまうものだ。

その変化を見逃さないためには、やはり定期的な密なる接触が不可欠なのである。

4．目的を達成する営業方法

　20年前、そして10年前と比較して、営業における役割分担はかなり進行したと実感する。

　役割分担自体は20年前にも存在し、とくに新規営業などではアルバイトや新入社員がリードゲット（ニーズの有無確認）の電話から初回訪問まで行い、ある一定以上の案件となると正社員に引き継いだり上司が登場したりするパターンは、営業志向の強い企業では昭和30年代から採用していた。

　プロ野球の投手もかつては、よほど打ち込まれないかぎりは先発─完投が一般的だったが、現在では先発─中継ぎ─抑えと分業化が進み、中継ぎでは左のワンポイントとかもあって、役割分担がより細分化している。

　野球同様、役割分担の効率性の高さが評価された結果かどうかは不明だが、営業においても1人の営業マン／ウーマンや1つの組織が顧客のターゲティング、ニーズの発掘、リスト化、アポ取り、初回訪問、ヒアリング訪問、提案活動、プレゼン、クロージング、フォローまでを一連のプロセスとして実施するのではなく、顧客情報マーケティングだけを目的とした入電（電話すること）、どんなニーズがあるのかを把握するだけのための入電、一歩進んで見込客を発掘するための入電、あるいは休眠顧客を発掘するための入電など、細分化して目的を明確にする営業方法が台頭してきた。

　営業を何ステップかに分け、それぞれのステップを専門の人間が担当するという形態だ。

　その背景にはイノベーションによる情報処理や情報通信の発達、テ

レマーケティングのナレッジの集積、雇用の多様化、生産性の向上という意識、成熟経済の進行などがあるが、1999年に派遣法が改正されて営業職の派遣が可能になり、ますます役割分担に拍車がかかった。

業界によっては正社員が営業に行くのは、ニーズが明確となった大手企業にプレゼンから登場というケースもあるようだ。

その是非は業界や当該企業の風土によると思うので、ここでは細分化された目的別の活動の与件を解説していく。

①顧客の課題をマーケティングする場合

顧客情報マーケティングを目的としたアプローチは、そのまま「売ること」が直接的なミッションではないので、ファーストタッチでニーズが希薄な印象であったからといって、その先入観から情報収集のモチベーションが低下しないのが最大のメリットである。

電話をかけるほうも売り込みではなく、市場調査、ニーズ調査だという気負いのない態度で臨めるし、電話を取るほうも、売り込みでない安堵感からガードする気持ちが弱くなるものだ。

よって、お互いのコミュニケーションを阻むバリアは薄くなり、アプローチをかけた各々の顧客から均一な情報を入手することが可能になるのだ。

このアプローチの本質は相手の課題を把握することにある。その際、もっとも重要なことは、キーパーソンからの情報でないと意義が薄れてしまうという点だ。

したがって、順序としてはキーパーソンにアプローチできる方法を見つけ出し、そのうえで課題感を喚起し、そのまま課題を尋ねる展開に持っていきたい。

その活動を重ねることによって、たとえば「既存利用のサービスのランニングコストに満足していない」「業務の効率が悪く、改善策を

探している」といった顧客の課題の属性にフォーカスしていく。

そして最終的には課題を明確にし、課題ごとに企業を分類し、分類されたジャンルごとに突破口を検討することになる。そこから提案できる企業を見つけ、営業をスタートさせるといった順になる。

課題を軸とした顧客情報マーケティングによってもたらされた素材を、この段階で料理に変えようというわけだ。厳選された素材だけに料理も旨いはずだ。

最近、「パーミッション・マーケティング」という概念が一般化しつつあるが、これはいちいち相手の許可を取って営業を進める方策である。まずは"○○に関する電話をかけてよかったか""○○に関する資料を送付してよいか""1週間前に○○に関する資料を送付したが、手元に届いているか""2週間前に送付した資料を読んでくれたか"と許可を得ていく方法である。

法人営業の場合、単にDMを送りつけるより、まず"○○に関するDMを送ってよいか"と許可を取ってから送付したほうが、はるかに開封率、つまり到達率、問い合わせ率、受注率が高いことから徐々に進化した方法である。

しかし1本のアウトバウンドのコストを考えると郵送料の数倍になるので、すべての商材に適用できるわけではない。

②顧客の課題解決策を探る場合

自社の商品・サービスの顧客接点を探す場合は、サンプル顧客に訪問したり電話したりとヒアリングして当たりをつけつつ行う場合と、顧客には接触せずに自社内の仮説で展開する場合がある。いずれにしても：

（1）突破口の抽出のために顧客の課題解決案を複数挙げる

(2) 自社商品で解決できるものをより分ける
(3) 顧客課題軸と自社商品軸がクロスしたところ（接点）を絞る
(4) 他社と比較し、勝負どころを明確にする
(5) 接点から提案、受注までのイメージを膨らます

といった同様のプロセスとなる。(5) の接点から提案、受注までのイメージを膨らますというのは経験の数に比例するので、新人や営業経験の浅い人間に対しては上司なり先輩が補ってあげると業績が上がるだけでなく、短期間に成長を促すことができる。

③見込客を発掘する場合

　見込客の発掘というからには「見込みがある顧客」「見込みがない顧客」から区別していくことになるのだが、生産性の高い営業を展開するコツは、前者の「見込みがある顧客」をさらに"顕在顧客"と"潜在顧客"とにより分けることにある。
　肝心なことは、より分ける際の"区別の基準を明確にする"ことである。たとえば：

(1) 新卒採用の予定あり
(2) 東京本社と札幌支社との通信料が16万円以上
(3) 既存サービス導入から3年経過
(4) 派遣法の改正によって業務が拡大
(5) 従業員がパソコンを紛失したことがある

というような基準であれば、(1) だと新卒採用10名を予定している企業であれば、"顕在顧客"になる。
　この場合の"潜在顧客"というのは、「ウチは知名度がなくて新卒

が採れないので、欠員補充は中途で……」という企業になる。つまり顕在と潜在の区別の基準は"中途採用をしている""本当は新卒採用がしたい（中途採用に課題を持っている）"という2点になる。

　かつて2〜3回新卒採用に挑み、募集の段階でうまくいかなかった企業はその失敗がトラウマとなって新卒採用をあきらめているケースが多いのだが、中には超がつくほどの、業界では有名な優良企業も混じっている。

　生産財や中間財を扱うため、一般的な知名度がなくてうまく学生にアピールできなかった結果であるが、採用の方法を十分に工夫することによって、よい学生が採用できるようになった今日はむしろ案件化しやすいので、営業しない手はない。

　もちろん顕在顧客、潜在顧客とも営業をかける順序はポテンシャル順になるので、その優先順位をつけることも忘れてはならない。

④既存顧客をフォローする場合

　取引関係のある既存客だからといってフォローを怠ると、すぐに取引を失ったり、競合に出し抜かれ、顧客内シェアを低下させてしまったりするものである。かといってフォローばかりに注力していては、新しい案件を開拓できなくなってしまう。

　大口顧客のフォローは営業マン／ウーマン自身が行うとしても、小口、中口顧客に関してはフォローに特化した部隊がこれに当たったほうが双方にメリットがあるとして、近年その傾向が強まっている。

　既存顧客フォローの第一義は、顧客満足度の把握にある。「満足している」のか、あるいは「不満ではないが満足しているわけではない」「不満なところもある」「不満」なのかといった状況とその水準、加えてその理由をこちら側から押さえないと、顧客をサイレントクレーマーに変えてしまう。

定期的な満足度のヒアリングが、営業上も商材のバージョンアップのためにも不可欠になってくる。実際に満足度をヒアリングするトークとしては：

(1)「いままでに他社の情報をお取り寄せになったことってありますか？」
(2)「ランニングコストの負担感ってございますか？」
(3)「サービス導入後に業務増になっていませんか？」
(4)「経営的な生産性（KPI〈Key Performance Indicator＝重要業績指標〉）って上がりましたか？」
(5)「実際に利用されている方から、ここを改善してほしいといった声は上がっていませんでしょうか？」

　などがある。ここで満足していない顧客があれば、速やかに対応するのが鉄則で、ヒアリングしっぱなしでそのまま手を打たないでいると、かえって藪蛇になって信頼感は失墜する。
　顧客満足度調査以外にも顧客フォローには深耕、横展開の可能性の有無、大小を測る役割がある。
　新規の営業よりも追加提案、紹介を頂戴したうえでの他部署への新提案のほうが営業の難易度が低いだけに、ポテンシャルいっぱいの取引になるまでは、満足してはいけない。
　フォロー活動は半期、四半期に一度は既存顧客の棚卸しを行い、顧客の満足度、取引頻度、取引額、付き合いの長さ、親密度などをレビューし、拡販の余地を見出したいものである。

⑤休眠顧客を掘り起こす場合

　休眠顧客の開拓もまた半期、四半期に一度くらいは組織的に取り組

んでほしい活動である。

　休眠顧客を営業マン／ウーマン任せにしてしまうと、多くの案件を抱え、その営業に忙殺されている者にとっては優先順位が下となり、ついつい後回しとなり、結局、手付かずになる場合がほとんどになってしまう。

　逆に手の空いている者は、休眠顧客を開拓する営業力が備わっていないケースが散見されるので、ここは個々の営業マン／ウーマンに委ねずに組織的な取り組みとして、テレマーケティング部隊などを臨時に組織するなど思い切って外注してしまい、早々と白黒つけてしまうのが得策だ。

　業種・業態・個別企業によって「休眠顧客」の定義は異なるものなので、まず自社、自らの事業部、本部でその定義を明確にし、共有し、たとえば"1年以上取引のない既存顧客"とするなら、その理由、背景を明確にしたうえで、ポテンシャル順に優先順位をつけて、理由、背景の属性ごとに有効策を検討したうえで対処すると、効率的に休眠顧客の覚醒が可能となる。

⑥セミナー・イベントの参加を募る場合

　セミナー・イベントは、言わずと知れた効果的な見込客発掘、開拓の場である。同時に多くの人がそのたび、集客に頭を痛めていることだろう。

　郵送によるDMや広告のみで集客を行うには、ビッグネームによる講演やタイムリーなテーマの演目をセットにしないと、訴求力は弱い。

　現在、日本においても多くの企業がセミナーやイベントの集客に際し、単に案内を郵送するのではなく、郵送前に入電し、DM送付の許可を受け、発送後にフォローコールをすることによって、DMの開封

率、参加率が上昇することを経験から学んだ。

ここで大切なことは、DMの開封率、セミナーへの参加率の向上だけではなく、直接的に案件化率、受注率を高める方策があるということだ。もちろん営業マン／ウーマンでなく、一般のアシスタントスタッフや派遣スタッフの活動によってだ。

従来の方法によるオペレーションであっても、有効なリストの収集からスタートするわけだが、ここでは従来のオペレーションに加えて：

（1）ポテンシャルの把握
（2）課題感、問題意識の強弱
（3）興味・関心の喚起（洗脳）

といった活動が加わる。単に「いつ」「どこで」「○○のセミナーがある」というご案内の告知電話でなく、その後に当該商品・サービスに関するポテンシャルを把握する質問を加えてほしい。

そしてコミュニケーションが成立したなら、相手の課題感、問題意識の強弱が判別できる単純質問、示唆質問へと転換させたい。相手がそこまで乗ってきたなら、最後は相手の興味・関心を喚起するトークへ展開して、セミナーへの参加を確かなものにしてほしい。

理想的な流れとしてはセミナー告知であっても、その活動の底流に脈々と流れるのは顧客ニーズの収集であるし、同時に業界動向の把握であるという意識を徹底・浸透させるレベルには持っていってほしい。もちろん、その過程で直接販売できるなら結構なことである。

⑦セミナー・イベント後のフォローの場合

セミナー・イベント開催というものは、その後のフォローを行って

完結するものだ。
　そのフォローの中身もさることながら、タイミングにも十分な配慮をしなければならない。
　要はフォローコールやサンキューレターが2週間後に実施するのだったら遅すぎて、逆効果になることさえあるのだ。
　サンキューコールは翌日、翌営業日、サンキューレターも同様なデッドラインでの投函が基本となるので、そのスケジュールで対応してほしい。
　卑近な実体験を挙げておくと、ピックアップトラックの展示会に行ったのに、他社のトラックを購入した私の体験がある。
　『リクルート流』という拙著の中で少々触れたが、私はリクルートを退職し、MBA留学の資金稼ぎと受験勉強のために2年半ほど実家に戻り、ヤマメという川魚を養殖していたことがある。
　リクルート時代に全財産をはたいて買った乗用車は持っていたのだが、仕事にはトラックがあったほうが便利ということで、祖父がトラックを買ってくれることになった。
　絶好のタイミングで欲しかったT社ピックアップトラックの展示会のチラシが入り、スポンサーの祖父を連れて見に行った。
　翌日にはセールスから連絡があるだろうと待っていたが、1週間待っても連絡はなかった。私同様、祖父も気が短いので、祖父は懇意にしているディーラーを呼んで、さっさとその場で決めてしまった。
　T社のディーラーが訪ねてきたのはそれから1週間後、つまり展示会から2週間後だったのである。
　私というか、正確には私の祖父は、その間に他社のトラックを買ってしまっていたのだ。私が欲しかったのはT社のピックアップトラックだったのに……。
　そのT社ディーラーのセールスは責められない。メーカー主催であったため、来場者を集計し、見込客を各ディーラーに割り振るためにそれだけの日程を要したのだろうが、この催事は大塚家の興味・関

心・欲求を喚起したにもかかわらず、最終的には他社の売上げに貢献する結末となったのだ。

似た事例は、いくらでもある。そもそも関心がなかったら、セミナー・イベントに足を運ぶことなどはない。

売上げ拡大のための催事ゆえ、最後の最後に受注を取りこぼすなどという"もったいない"結果とならぬように、見込客の興味・関心を継続させる諸策を展開していきたい。

このT社の例であれば、メーカー主催であったとしたらメーカーからサンキューレターなり、サンキューコールを発しておけば、違った展開になったということは言うまでもない。

興味・関心の継続の他、セミナー後のフォローで行うべき行動は：

(1) セミナー参加動機の分類
(2) 分類に従い、次のアクションプランの実施
(3) 中・長期フォローに向けたプログラム、ツールの準備

である。(2)の分類に従った次のアクションプランに関しては、ポテンシャルが高い場合は訪問し、詳細ヒアリング、そしてデモ、プレゼンテーション、クロージングへ展開、ポテンシャルがいまは小さい場合はサンキューレターで対応といった動きとなる。

5. 受注に成功する営業の
  ツールとトークを準備

①役に立つ営業ツールの作り方

　営業ツールに関して、ほとんどの営業マン／ウーマンは満足していないだろう。何年経っても繰り返される議論は、営業企画部門の作ったツールは使えないと文句を言うくせに、営業マン／ウーマンは忙しがって自分たちでは決してツールを作ったりしないというものだ。

　理想を言えば営業ツールというものは、商品・サービスに詳しい人間と、その利用者である顧客に詳しい人間が協業で作成することが望ましい。なぜなら営業ツールは自社商品・サービスのベネフィット（便益、提供価値）と顧客の課題をクロスさせるための媒体であるからだ。

　もっといえば営業ツールの目的は商品説明ではなくベネフィットの訴求である。商品説明を第一義にして営業ツールを作成してしまうと一方的なので"買うか買わないかは貴方がお決めください"というYes／Noを迫るのと同じコンセプトになってしまう傾向がある。

　本書で伝授する営業ツールには商品やサービスのパンフレットやカタログ、事例集といった対外的なツールの他、比較表のように、対外的にも自社の営業部隊兼用のものや切り返しトーク集、競合情報集、ヒアリングシートといった完全に営業マン／ウーマン、支援部隊用に作成されるものもあるので、参考にしていただきたい。

　まずは営業パンフレット、カタログなど対外的なものから議論を開始したい。

たとえば建材に「スイス漆喰(しっくい)」という商品がある。文字通りギリシア・ローマ時代からヨーロッパで愛用されている漆喰で、スイスの写真を見ると点在する白い家々が写っているのをご覧になったことがあると思うが、その白い家の外壁に使われている塗装材である。
　近年、アレルギーやアトピーが増え、シックハウスの元凶が新建材による住宅にあるとされ、建材に、より安全性を求める動きが高まった。その中で、現在の高気密住宅にはビニールクロスより漆喰などの塗装材のほうがより安全で健康、という認識がエンドユーザーにも広がっていった。
　漆喰はアルカリ性であるため、防カビ、殺菌作用があり、築城の折、壁に食べ物を隠し、漆喰を塗り、兵糧(ひょうろう)攻めにあった際には、壁を壊して、非常食を食べた戦国時代のエピソードも有名だ。
　では、スイス漆喰と日本の漆喰ではどこが違うのか。最大の違いは純度である。現在、日本で扱われている漆喰には施工性を高めるため、合成樹脂が混入されている。その合成樹脂によってはがれやすさを補っているわけだが、この合成樹脂が漆喰を天然素材でなくしている。
　100％天然の日本の漆喰を用いようとしても、それを施工できる左官職人の数が少なくて、コスト的にほとんど不可能な数字になってしまう。一方のスイス漆喰は100％天然素材で調湿効果が高く、なおかつ伸びがよいので施工しやすいという特徴を持つ。
　たとえば伸びのよさは左官職人が施工終了時に、コテを洗うときに差が出る。スイス漆喰は水洗いですぐに落ちるが、合成樹脂入り漆喰は、たわしでゴシゴシやらないと落ちないのだ。
　このスイス漆喰のベネフィットは健康と安全であるが、それだけでは現状の日本漆喰との差別化が困難ゆえ、その差別化を顕著にする方策として、施工面からのアプローチで、この左官工のエピソードはリアリティーがある。
　さて、このスイス漆喰の営業ツールはどのように作成すべきであろうか。営業ツールの作成は、ややもすると"作成する"ことが目的化

してしまい、本来の目的である"売るため"の支援機能を忘れてしまいがちになる。

　このスイス漆喰のメーカーなり総代理店が日本で営業する場合は、まず、設計事務所、住宅メーカー（ビルダー）、工務店や建材卸などが営業対象になるが、その先にある施主（エンドユーザー）のことも忘れてはならない。

　この際の営業ツールの作成の肝は自分らの視点ではなく、顧客側の視点で作成することにある。そのうえで：

（1）営業先で商品説明を禁止されたら何を話すかを箇条書きにする
（2）施主の課題、顧客の課題を明確にする
（3）スイス漆喰のベネフィットを述べる
（4）スイス漆喰のセールスポイントと、それを表現するエピソードを選択する
（5）一人歩きに耐えられる工夫をする
　　　⟶ 顧客から施主に渡ることを想定

に関して掘り下げ、ツールのコンテンツとするとよい。その一連の思考活動にリアリティーを持っていただくために、一緒に取り組むことにしよう。

　営業先はいわゆるパワービルダーに準ずる工務店や設計事務所として、まず、（1）の営業先で商品説明を禁止された際に何を話すであろうか。10項目挙げるとするなら、こんな感じだろうか：

- 現在の小学生の4分の1が喘息（ぜんそく）やアトピーなど、なんらかのアレルギー持ち
- 国土交通省の調査結果、「室内の空気が大通りの空気の5倍汚染されている」
- 日本の気候

- 新建材の功罪
- 梅雨時にナイロンの服を着ているような住宅
- 日本の住宅の寿命
- 合成樹脂
- 結露／カビ／ダニ
- 健康住宅への取り組みと課題
- 健康住宅に関する施主の反応のバリエーション

　次に（2）の施主の課題、顧客の課題であるが、施主に関しては、おおよそ4種類ほどに分類できるであろう。

　何がなんでも健康住宅派、できれば健康住宅派、どちらかと言えば健康住宅志向、無関心派といった具合に。

　その4層の三角形を縦に二分する基準はコストに対する意識である。コストが高くても健康素材を優先させる派と、とは言ってもコスト的に耐えられずあきらめる派だ。つまり、付加価値優先かコスト優先か、という基準だ。

　4種類ごとの課題では複雑になるので、ここでは施主の課題を総論として挙げておくと：

- 小学生の子供が喘息
- 妻は、ホコリ、ダニのアレルギー
- 健康住宅に興味はあるが、コスト的に心配
- 決めなければならない部材がたくさんありすぎて正直わからない
- 類似部材があまりに多く、何を選んでいいのかわからない
- インターネットの情報、関連書籍が溢れていて、何がいいのかわからない
- 「F☆☆☆☆」の建材の新築マンションでも、入居時に顔が真っ赤になった
- コストの問題から何を妥協し、何を優先するか決められない

- エコロジー建材なのに頭痛がする
- 相談できる工務店がない

(3) のスイス漆喰のベネフィットは「安全・安心・健康」であるし、さらに (4) のセールスポイントとそのエピソードだが：

【セールスポイント】

- 天然成分100％
- 無垢(むく)の木と同じ調湿性と呼吸性が、結露を抑え、カビ・ダニの発生を抑える
- 強アルカリPh12.4がカビ、ダニ、バクテリアを発生させない
- 強アルカリと漆喰の特性から、いつまでも透明感のある白さを保つ
- 堅く、強固なので、子供が汚しても水洗いなどのメンテナンスがしやすい
- 日本伝統の漆喰より工期が短く、半分のコスト
- 素材感のある上質なインテリアになる

【エピソード】

例：「天然成分100％」を「コテ」のエピソードで意味づけ

先に紹介したが、左官職人によれば、仕事が終わって仕事道具のコテを洗うときに、スイス漆喰は水洗いですぐに落ちるが、合成樹脂入りの日本漆喰は、たわしでゴシゴシやらないと落ちないので、その時に一番「天然成分100％」を実感するという。

最後に (5) の「ひとり歩きに耐えられる工夫」であるが、工務店や設計事務所が営業ツールを施主に見せるというのはよくある話で、その時にどれだけ施主に魅力的に映るかがポイントとなる。

たとえば住まいの「安全・安心・健康」に関してはご主人よりもむ

しろ奥様マターになっているケースが多い。

　ところが建築の世界は圧倒的に男社会で、ほとんどの建材の営業ツールは「作るのも、使うのも男性」というのが暗黙の了解として作られているし、もっと言えばすべてが業者用にできており、なじみのない素人にはなかなか入っていけないものがある。

　つまり、女性が見ることを前提としたつくりになっているだけで、ひとり歩きした時に目立つことはもちろん、ユーザーフレンドリーな側面が加点されるのである。

　以上を骨子として、さまざまな情報やエピソードで肉付けしていくのが売れる営業ツールの作成方法だ。

　営業ツールにはベネフィット訴求、商品訴求という機能以外にも、営業マン／ウーマンのスキル不足を補ってくれるという機能を持つので、営業業務の標準化の第一歩として、ぜひとも作成するだけでなく、その使い方のトレーニングとセットにしていただくことをお薦めしたい。

　初心者用にはヒアリングシートとセットにしてしまう手もある。中・上級の営業マン／ウーマン、営業部隊には標準化されたパンフレットやツール以外に「A4のペラ1枚で説明できるオリジナルパンフレット」の作成を勧めたい。

　その際に欲を言えば、顧客のための「ひと手間」「ひと工夫」があるだけで訴求力が高まる。

②使えるトークスクリプトの作り方

　営業の底上げを望みつつ、営業のトークスクリプトが整備されていない場合は、まずそこからスタートすることをお勧めしたいし、また、独自にトークスクリプトを準備している場合であっても、バージョン

アップのためのヒントを得られるのではないかと思う。

トークスクリプト作成にあたり、初動はその目的から策定する。目的のジャンルにはアポ取り（面談の約束を取ること）、キーパーソンリサーチ、ニーズ把握などがあるが、「アポ取り」を目的とする場合がマジョリティーであると思うので、初回のアポ取りを目的としたスクリプトフローを例示し、ポイントを整理していきたい。

ターゲットは年商20億円以上の企業にERPパッケージを営業するという前提で、スクリプトフローを紹介してみたい。

【スクリプトフローの作成】

まずは最初の第一声から始まる。「お世話になっております。私、株式会社ホワイトベアシステムの○○《自分の名前》と申します。恐れ入りますが、情報システム部門の責任者様におつなぎいただきたいのですが」といったところがオーソドックスというか、その営業力にかかわらず、誰でも対応できる初級的なところである。この場合の相手の対応は以下に分類される。

(1) 取り次いでくれる
(2) 用件確認……「どのようなご用件でしょうか」
(3) 取次先不明
(4) 拒絶
(5) 不在

(2)と(3)の際には次のようなトークに展開する。
「本日は営業・販売から財務、人事まで業務の効率化を図るソリューションをご案内させていただきたいと思いましてご連絡を差し上げたのですが、総務や経理、営業管理、業務管理など、どの方がご担当でしょうか。お時間は取らせませんので、おつなぎいただけませんでしょうか」

（図表Ⅱ-1）トークスクリプト例

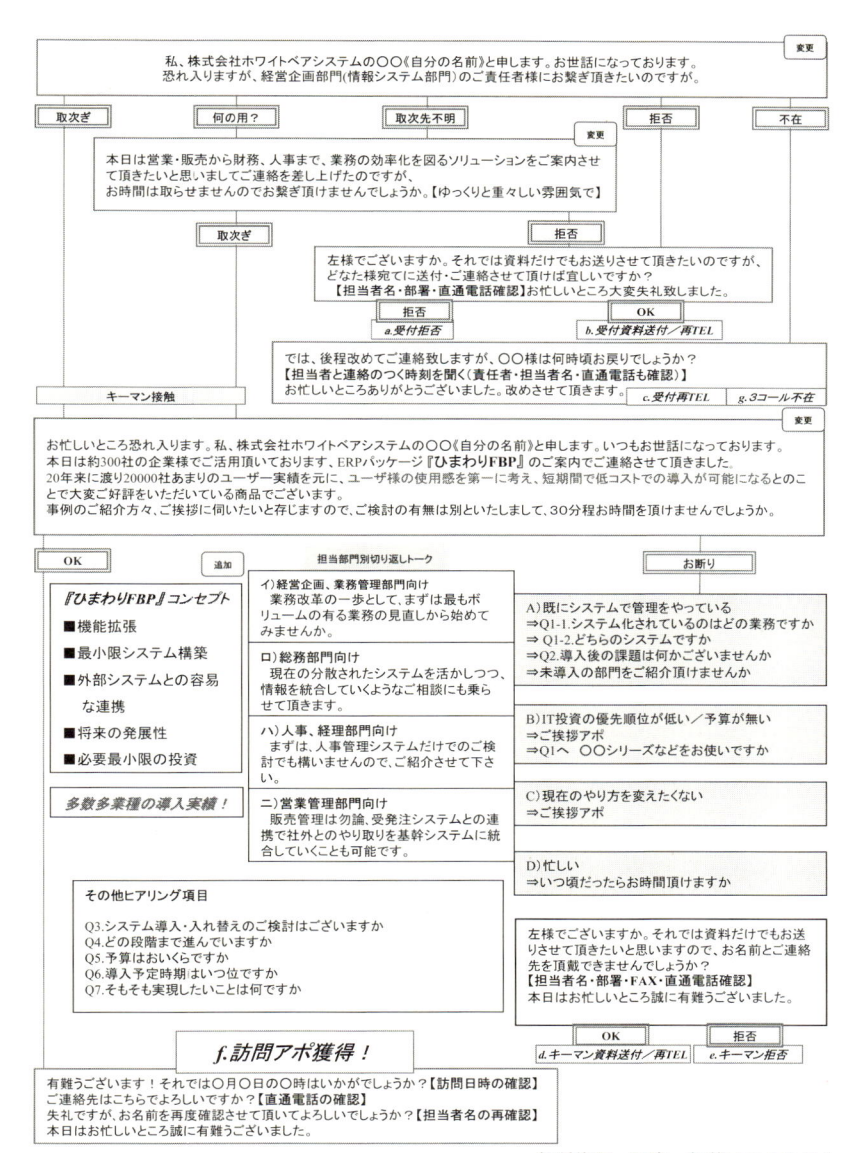

私、株式会社ホワイトベアシステムの○○《自分の名前》と申します。お世話になっております。
恐れ入りますが、経営企画部門(情報システム部門)のご責任者様にお繋ぎ頂きたいのですが。

取次ぎ / **何の用？** / **取次先不明** / **拒否** / **不在** / **変更**

本日は営業・販売から財務、人事まで、業務の効率化を図るソリューションをご案内させて頂きたいと思いましてご連絡を差し上げたのですが、
お時間は取らせませんのでお繋ぎ頂けませんでしょうか。【ゆっくりと重々しい雰囲気で】

取次ぎ / **拒否** / **変更**

左様でございますか。それでは資料だけでもお送りさせて頂きたいのですが、
どなた様宛に送付・ご連絡させて頂けば宜しいですか？
【担当者名・部署・直通電話確認】お忙しいところ大変失礼致しました。

- a. 受付拒否
- b. 受付資料送付／再TEL

では、後程改めてご連絡致しますが、○○様は何時頃お戻りでしょうか？
【担当者と連絡のつく時刻を聞く(責任者・担当者名・直通電話も確認)】
お忙しいところありがとうございました。改めさせて頂きます。

- c. 受付再TEL
- g. 3コール不在

キーマン接触

お忙しいところ恐れ入ります。私、株式会社ホワイトベアシステムの○○《自分の名前》と申します。いつもお世話になっております。
本日は約300社の企業様でご活用頂いております、ERPパッケージ『ひまわりFBP』のご案内でご連絡させて頂きました。
20年来に渡り20000社あまりのユーザー実績を元に、ユーザー様の使用感を第一に考え、短期間で低コストでの導入が可能になるとのことで大変ご好評をいただいている商品でございます。
事例のご紹介方々、ご挨拶に伺いたいと存じますので、ご検討の有無は別といたしまして、30分程お時間を頂けませんでしょうか。

OK / **追加** / 担当部門別切り返しトーク / **お断り**

『ひまわりFBP』コンセプト
- 機能拡張
- 最小限システム構築
- 外部システムとの容易な連携
- 将来の発展性
- 必要最小限の投資

多数多業種の導入実績！

イ)経営企画、業務管理部門向け
業務改革の一歩として、まずは最もボリュームの有る業務の見直しから始めてみませんか。

ロ)総務部門向け
現在の分散されたシステムを活かしつつ、情報を統合していくようなご相談にも乗らせて頂きます。

ハ)人事、経理部門向け
まずは、人事管理システムだけでのご検討でも構いませんので、ご紹介させて下さい。

ニ)営業管理部門向け
販売管理は勿論、受発注システムとの連携で社外とのやり取りを基幹システムに統合していくことも可能です。

その他ヒアリング項目
Q3. システム導入・入れ替えのご検討はございますか
Q4. どの段階まで進んでいますか
Q5. 予算はおいくらですか
Q6. 導入予定時期はいつ位ですか
Q7. そもそも実現したいことは何ですか

A)既にシステムで管理をやっている
⇒ Q1-1. システム化されているのはどの業務ですか
⇒ Q1-2. どちらのシステムですか
⇒ Q2. 導入後の課題は何かございませんか
⇒ 未導入の部門をご紹介頂けませんか

B)IT投資の優先順位が低い／予算が無い
⇒ ご挨拶アポ
⇒ Q1へ　○○シリーズなどをお使いですか

C)現在のやり方を変えたくない
⇒ ご挨拶アポ

D)忙しい
⇒ いつ頃だったらお時間頂けますか

左様でございますか。それでは資料だけでもお送りさせて頂きたいと思いますので、お名前とご連絡先を頂戴できませんでしょうか？
【担当者名・部署・FAX・直通電話確認】
本日はお忙しいところ誠に有難うございました。

OK / **拒否**
- d. キーマン資料送付／再TEL
- e. キーマン拒否

f. 訪問アポ獲得！

有難うございます！それでは○月○日の○時はいかがでしょうか？【訪問日時の確認】
ご連絡先はこちらでよろしいですか？【直通電話の確認】
失礼ですが、お名前を再度確認させて頂いてよろしいですか？【担当者名の再確認】
本日はお忙しいところ誠に有難うございました。

無断複写・配布・転載はできません

トークの中身もさることながら、ここではゆっくりと重々しい雰囲気で話すコミュニケーションの様式のほうがより重要となるので、ご注意いただきたい。

　そして再び拒絶された場合は、先の（4）で拒絶された場合と同様、「左様でございますか。それでは資料だけでもお送りさせていただきたいのですが、どなた様あてに送付・ご連絡させていただけばよろしいですか？【担当者名・部署・直通電話確認】お忙しいところ大変失礼いたしました」と切り返すこととなる。

　(5) の不在の場合は、「では後ほど改めてご連絡いたしますが、責任者の方は何時頃お戻りでしょうか？【この際、責任者／担当者と連絡のつく時刻を聞く（責任者／担当者名・直通電話も確認）】お忙しいところ、ありがとうございました。改めさせていただきます」という対応になるが、この場面の肝心なところは、次回、受付を通さずに直に責任者へアプローチするための必要事項が聞けるか否かということだ。

　では、次に（1）や（2）を経由してキーパーソンと接触ができた場合のトークに移ろう。

　「お忙しいところ申し訳ございません。私、株式会社ホワイトベアシステムの○○〈自分の名前〉と申しますが、いつもお世話になっております。本日は約300社の企業様でご活用いただいております、ERPパッケージ『ひまわりFBP』のご案内でご連絡させていただきました。20年にわたり、2万社余りのユーザー実績を元に、ユーザー様の使用感を第一に考え、短期間で低コストでの導入が可能になるとのことで、大変好評をいただいている商品でございます。事例のご紹介方々、ご挨拶に伺いたいと存じますので、30分ほどお時間をいただけませんでしょうか」

　トークスクリプト自体は上記のような展開となるが、そこには先方の興味・関心に着火させたい『ひまわりFBP』のベネフィット、コンセプト、競争優位性などから凝縮(ぎょうしゅく)したキーワードがトークの柱と

なっている。

　もっと言えば、電話の向こうにいる相手にとってはトークではなく、こちらのキーワードのほうがより重要なのだ。この商材、『ひまわりFBP』のキーワードとなる基本コンセプトは、次のように整理される。

《『ひまわりFBP』の基本コンセプト》
- 中核部分に必要に応じて機能を追加できる
- 必要最小限の最適システムの構築
- 現有システム、外部システムとの容易な連携
- 将来の発展性
- 必要最小限の投資

　さらに、このERPパッケージの電話は、情報システム部以外に取り次がれる可能性もあるし、あえて情報システムへのアプローチを避ける場合もあるので、取り次がれた部門ごとのトークスクリプトも盛り込んでおくことも忘れないでほしい。例を挙げておくと：

（イ）経営企画部門、業務部門向け切り返しトーク
　　「業務改革の第一歩として、まずはもっともボリュームのある業務の見直しから始めてみませんか」
（ロ）総務部門切り返しトーク
　　「現在の分散されたシステムを活かしつつ、情報を統合していくようなご相談にも乗らせていただきます」
（ハ）人事、経理部門向け切り返しトーク
　　「まずは、人事（または財務）管理システムだけでのご検討でも構いませんので、ご紹介させてください」
（ニ）営業管理部門向け切り返しトーク
　　「販売管理はもちろん、受発注システムとの連携で社外とのやり取りを基幹システムで統合していくことも可能です」

以上のトークや切り返しトークですんなり快諾してくれればいいのだが、現実は消極的対応、もしくはお断りの対応の場合のほうが数倍多い。この際の「お断り」の種類としては：

(A) すでに導入している
(B) IT投資の優先順位が低い／予算がない
(C) 現在のやり方を変えたくない
(D) 忙しい

　などがあるが、それぞれの「断り文句」に対応する切り返しトークは次のようになる。

(A) すでに導入している
切り返しトーク：
- →Q1：システム化されているのは、どの業務ですか
- →Q1-2：どちらのシステムですか
- →Q2：導入後の課題は何かございませんか
- →未導入の部門にご案内させていただいてもよろしいでしょうか
（その際、○○様からのご紹介とお話しして構いませんか）

(B) IT投資の優先順位が低い／予算がない
切り返しトーク：
- →ご挨拶アポ
- →○○シリーズなどお使いですか、もしくは上記のQ1へ

(C) 現在のやり方を変えたくない
- →ご挨拶アポ

(D) 忙しい

→お手すきになるのは、いつごろのタイミングでしょうか

　この際の切り返しトークは「説得」にかかろうとするより、「質問」というコミュニケーションの様式が中心となるが、何でも訊けばいいというものではない。同じ業界人であることが示唆できる内容でないと、効果は半減してしまう。
　上記にQ1、Q2と紹介したが、脈絡がよいので、ここでその他の効果的な質問を紹介しておきたい。
　上記のQ2の続きということでQ3からスタートすると：

Q3：システム導入・入れ替えのご検討はございますか
Q4：どの段階まで進んでいますか
　　　（見積り・商談・社内検討中・これから）
Q5：予算はおいくらですか
Q6：導入予定時期はいつ位ですか
Q7：そもそも実現したいことは何ですか

　といった質問になるが、間違ってもこれらの質問を矢継ぎ早に行ってはいけない。あくまで相手との会話の空気を読みながら、雰囲気を作りながら問いかけていく。
　営業初心者はそのへんの空気が読めず、質問を繰り返す途中で「忙しいので、ガチャッ！」と不愉快に電話を切られてしまうので、事前にロールプレイングなどで練習しておくことをお薦めしたい。
　これも相手とのコミュニケーション全体に必要なこととなるのだが、多少なりとも関心を持った相手は、その関心を確かめるために100％なんらかの質問をしてくる。その際の想定問答集の準備もまた、トークスクリプトには不可欠になってくる。
　たとえば、この『ひまわりFBP』のような商材であれば、初回アプローチでの相手の質問は下記のようなものに集中するので、問答集

を準備しておくことにより、アポ獲得率を高めることができる。

《『ひまわりFBP』……よくある顧客からの質問》

Q1：○○はいくらするのか
A1：⇒『ひまわりFBP』価格表、補足資料を手元に置き、答えられるようにする

Q2：導入にはどれくらい時間がかかるか
A2：導入する業務の範囲にもよりますが、6カ月から1年くらいが平均的です

Q3：導入後のサポートの体制はどうなっているか
A3：⇒『ひまわりFBP』サポート体制図またはフリーダイヤル0120-○○○

Q4：導入企業はどのくらいの規模が多いか
A4：年商で30億から500億のお客様が中心になっております

Q5：導入実績を詳しく知りたい
A5：ぜひお会いしてご案内させてください。⇒『ひまわりFBP』事例企業一覧
　　弊社HPで現在58社の掲載がございます。http://www.……jp/wbwbw/wb_wb.html

Q6：『ひまわりFBP』の特徴は
A6：（1）スピード
　　　　スピード経営、環境変化、法改正などへの対応を強力に支援

(2) インテグレーション
　業務の統合・標準化による効率的な運用を支援
(3) マネジメント
　業績の管理水準向上・意思決定を強力に支援
(4) コアアド
　業務事例適用によるシステム最適化・発展・成長を支援

　以上のような電話でのやり取りを経て、訪問に前向きな話を頂戴した時点で、以下のような締めに入る。
「ありがとうございます！　それでは○月○日の○時はいかがでしょうか？」【訪問日時の確認】
「ご連絡先はこちらでよろしいですか？」【直通電話の確認】
「私、ホワイトベアシステムの○○と申しますが、失礼ですが、お名前を再度確認させていただいてよろしいでしょうか？」【担当者名の再確認】
「では○○月○日の○時にお伺いいたしますので、よろしくお願いいたします。本日はお忙しいところ誠にありがとうございました」

　以上、トークスクリプトに関して述べてきたが、もっともシンプルにその構造を語るならば、キーワード、キーフレーズを用いて受付を突破し、キーパーソンにアプローチし、フックを投げかけ、興味を喚起する。その際のキャッチボール如何(いかん)でアポの可否が決まるが、どうもポジティブにキャッチボールが進展しない場合は、話題を転換し、別の角度から相手の興味・関心を探り、相手との接点を模索していくのがミソである。
　あの手この手を用いても最終的にアポまで行き着かない場合は、最悪、資料送付の可否に振って、可の場合はそのフォローコールで接触頻度を高め、徐々にアポに近づけるのがもっとも難易度の低い方法である。

さらにこのトークスクリプトで重要なことは、トーク作成のためのネタ集めと、その共有である。
　日常から"ネタ帳"なるものを準備しておき、受付突破のトーク集め、商材のベネフィットにリアリティーを与えるエピソード集め、キャッチボール用のアイテム集めを行い、現状のトークスクリプトをさらに強く、効果的なものへと進化させていくことをお勧めしたい。
　キャッチボール用のアイテム集めというのは、もっと具体的にその方法を述べると、顧客の競合軸、今使っている商品軸、顧客の課題軸といった角度で推察すると準備しやすいので、試していただきたい。
　最初から完璧を目指すと挫折しやすいので、まずは"たたき台"となる雛形を準備し、実践するなかで修正し、最適なトークに練り上げるスタンスが組織的に取り組む際のコツである。
　そのようなトークスクリプトにさらに磨きをかけていこうとする継続的な取り組みが、競争力のある営業部隊を築いていく。
　一人の天才営業マン／ウーマンが注目される属人的な営業の世界も嫌いではないが、現在は平準化され、分業化された組織のほうが全体として高い業績を上げる時代となっていることも忘れてはならない。

③有効なヒアリングシートの作り方

　営業の底上げというか、営業の平準化を考えた時に、多くの営業組織はヒアリングシートを作成し、営業力の高低にかかわらず、案件化や受注のために"モレ"なく顧客の状況をとらえようとするものだ。
　しかしながら、せっかくヒアリングシートを作成し、全営業マン／ウーマンにその使用を指示しても、なかなか実績が上がらないという悩みをよく耳にする。その理由は2つある。
　ほとんどの場合は自社の商品やサービスを売るための商品軸のヒアリングシートになっているからで、自社商品主義のために"モレ"の

多いヒアリングシートなのだ。

　さらにはヒアリングシートというのはその運用が難しく、新人やコミュニケーションセンスがもうひとつの人間は、矢継ぎ早に質問してしまい、場の空気を白けさせてしまうのだ。その時に相手はヒアリングにまともに応えてはおらず、適当にあしらっている。あしらわれたことにも気がつかないくらいだから、そのヒアリング内容が案件化するはずがない。

　まずはそのあたりのニュアンスをつかんでいただきたいので、聞く内容と聞き方の実例を示すことにしよう。

【訊く内容と訊き方の実例】(○) 良い例　(×) 悪い例

(1) 決裁者を訊く
　　(×)「決裁者はどなたですか」
　　(○)「えっと、こういったお話は大友部長がOKならOKですよねぇ」

(2) 予算を訊く
　　(×) 予算を訊くのは失礼と思い込んでいる
　　(○)「お見積もりを出すにあたって、ザックリと、桁数とその上・中・下くらいは……」
　　　「そんなこと言える訳ないじゃないか」
　　　「そうは言っても松井部長、また腹づもりの3倍の見積もり出しちゃいますよっ」

(3) 他社情報を訊く
　　(×)「B社の製品をお使いということですが、何か課題はありますか」
　　(○)「B社の製品をお使いということですが、他のお客様から

は、ランニングコスト云々というお話をよく耳にしますが……（ここで寸止め）」
（＊）ここで寸止めすることにより、バトンが相手に移って話さざるを得なくなる

(4) 課題を把握する（満足度の基準を知る）

たとえ話として、デートに誘った女性に対して
（×）「今日、何が食べたい？」
（○）「夜景が見えるレストランでフレンチ、麻布の隠れ家系創作和食、この前できたコンラッドで本格イタリアン、さて、今日の気分は？」

【補足】
「今日、何が食べたい？」
「イタリアンがいいなぁ〜」
（＊）彼は味がよくてリーズナブルな老舗に連れていった。ところがその店は、味はかなりいいが、ガード下立地でお世辞にも雰囲気がいいとはいえなかった。実は彼女の"イタリアン"という言葉の裏には「雰囲気が楽しめる」という言外の意味がこめられていた。

企業の担当者の言葉も同様で、真の課題を述べているとは限らない。例を挙げながら、真の課題共有をすることが、最初の一歩。ここがずれていると、成約にはつながらない。

次に、通常用いられるヒアリングシート（図表Ⅱ-2）と悪いヒアリングシート（図表Ⅱ-3）の例を示しておきたい。
図表Ⅱ-3のヒアリングシートの何が悪いかということ点に関しては、お気づきの通り、相手の課題を聞いていないのだ。先に述べた、

（図表Ⅱ－2）通常用いられるヒアリングシート

	製品 ＊作っているもの				
	仕入品 ＊どんな製品を 仕入れたいのか	形状）　□部品　　□ボード　　□両方 メーカー）□　　　　□　　　　□ 具体的に）			
調達方法	部品の場合	商品の選定者 □購買担当 □現場責任者 □その他 （　　　　　）	発注ツール □電話 □FAX □メール □WEB □その他	発注先 （　　　　　　　）社 具体的社名：	なぜその調達方法を選んでいるのか 理由：
		発注者 □購買担当 □現場責任者 □その他 （　　　　　）		購入額 □部品 （　　　　　）円/年 □製品 （　　　　　）円/年	今後どのようにしたいのか？ 理由：
調達の際の 重視点 （優先順位）	（　）□商品自体の値段が安いこと （　）□納期のスピードが速いこと （　）□購買コスト（手間・人件費）がかからないこと （　）□品質に問題がないこと （　）□トラブル・不良品の対応がしっかりしていること （　）□会社の信用があること （　）□営業担当がマメに顔を出してくれること （　）□情報提供してくれること （　）□その他				その理由・詳細
取引先 選定基準 理由	（　）□商品自体の値段が安いので （　）□納期のスピードが早いので （　）□購買コストがかからないので （　）□品質に問題がないので （　）□トラブル・不良品の対応がしっかりしているので （　）□営業担当がマメに顔を出してくれるので （　）□以前のお取引関係があるので （　）□特定の商品が欲しいので （　）□その他				その理由・詳細
今後望ましい 調達方法	（　）□全部まとめて発注したい （　）□購買業務に手間をかけたくない （　）□WEBで発注したい （　）□商品をもっと安く買いたい （　）□できるだけ納期の早いほうがいい （　）□FAXで申し込みたい （　）□電話で申し込みたい （　）□その他				その理由・詳細
備考					

無断複写・配布・転載はできません

（図表Ⅱ－3）悪いヒアリングシート

ID							
企業名				会社概要	業種		
					売上高		
住所					従業員数		
TEL							
FAX							
訪問日		訪問時間	面談者部署		面談者役職		面談者氏名

ヒアリング項目								
情報サービス事業				主業は				
売上								
販売構成比		サーバ	%	モニタ	%	ソフトウェア販売(開発)	%	
		PC	%	その他	%	←具体的には		
PC/サーバ/モニタ販売先構成比		法人向け	%	訪問販売	%	店頭向け	%	
		店頭販売	%	通販	%	その他	%	
						↑具体的には		
販売先業種		製造業	%	流通業	%	情報処理業	%	
		サービス業	%	教育・官公庁	%	その他	%	
						↑具体的には		
PC/サーバ販売台数		2003年	台	2003年月間平均	台			
		2004年	台	2004年月間平均	台			
モニタ販売台数		2003年	台	2003年月間平均	台			
		2004年	台	2004年月間平均	台			
PC/サーバ/モニタ仕入先		ディストリビュータ		ベンダー		その他		
						↑具体的には		
商品に対する興味								
最終意思決定者		部署		役職		氏名		
必要とするフィードバック情報								
売上管理状況								
		モデル別単品管理		納入先管理		日別管理		

商談詳細

営業引継レベル【A(近日再訪可)、B(中期フォロー)、C(長期フォロー)】/次の一手	引継ぎ訪問

無断複写・配布・転載はできません

自社の商品を売らなければ、という金縛りにあった、モレの多いものになっている。

この手のヒアリングシートを用いてしまうと、営業上の突破口が見出せないのと同時に、相手の興味や関心も盛り上がらないので、前向きなキャッチボールにならず、次のアポさえままならない結末になる確率が高い。

ヒアリングシート作成の実務に関してはⅢ章で細かく解説するとして、ここではヒアリングシート作成の肝として「フォーカス5」という概念で締めくくっておきたい。ヒアリングシート作成時の思考を：

(1) **顧客軸**
(2) **課題軸**
(3) **商品軸**
(4) **競合軸**
(5) **チャネル軸**

という5つに焦点を当てて行うと、モレとダブリがなくなるという概念なので、実施していただきたい。難解であったり、運用が困難だったりするものは、営業では機能しない。

しかし、この「フォーカス5」なら「これならできる」というハードルの低さを感じていただけると思うので、早速行動に移してほしい。

参考までに顧客軸、課題軸、商品軸によるヒアリングを（図表Ⅱ-4）に示しておく。

ちょっと高度なポイントにも触れておくと、ヒアリングには3つの様式がある。リクルートでは営業マン／ウーマンにそのように指導するのであるが、要は「聞く」と「聴く」と「訊く」である。

最初の「聞く」はもっとも広範に用いられる聞く概念であるが、「聴く」は「聞く」より注意深さが伴い、「訊く」は「尋ねる」というニュアンスになる。そこのところを意識するとヒアリングの意味合い

（図表Ⅱ－4）お客様の課題対応型ヒアリング

① お客様の基本的なことをお聞きします
　お客様のご商売や業務のしかたなどをお聞きする　〜顧客軸〜

Q. まずは御社のご商売についてお伺いしたいのですが、御社がおつくりになっていらっしゃる製品は、どのようなものでしょうか？（HPなどの情報がある場合は）御社の主力商品は、○○でいらっしゃいますね？
　↓
Q. そうしますと、○○業界でのお仕事ということになりますね。
　↓
Q. 仕入れたものは、どのような用途でお使いでしょうか？
　↓
Q. ご用途によるかと思いますが、どちらのメーカー様の製品をよくお買い求めになっていらっしゃいますか？
　↓

② お客様の現在の課題をお聞きします
　誰が、どのように、誰から、いくらぐらい、モノを買っており、なぜそのやり方をしているか？　〜課題軸〜

Q. 部品の選定をされるのは、やはり○○様でしょうか？
Q. 部品購入にあたりお手間になっていたりするようなことはございませんか？
Q. 納期については、何かご希望はございませんか？
Q. ご発注先も数多くていらっしゃいますよねえ。　**もう一押し**　どのような企業様とお付き合いされていらっしゃるのですか？　ぜひ参考にさせていただきたいのですが。
Q. ちなみに、営業の方のご対応はいかがですか？　**もう一押し**　頻繁に営業マンは顔をだしていますか

③ お客様のニーズをお聞きします
　どのような点を重視していて、今後どのようにしたいのか？　現状、○○からモノを買っているのはなぜか？　〜商品軸〜

Q. 最後にお客様のご要望をおきかせください。
　調達の際、重視される点は、どのようなことでしょうか？　やはり、商品自体の価格や納期は気になる点ですよね？
Q. それが、一番気になる点でいらっしゃいますか？　**もう一押し**　それはなぜでしょうか？
Q. いま、○○からお買い上げいただいているのは、その点をご評価していただいているからでしょうか？
　　YES ⇒ ありがとうございます！
　　　　　さらにお客様のご要望にお応えしていきたいのですが、今後どのような調達を望まれますか？
　　NO　⇒ 左様でございますか……大変申し訳ございません。
　　　　　今後改善してまいりたいと思うのですが、お客様はどのような調達方法を望まれていらっしゃいますか？　**もう一押し**　それはなぜでしょうか？

無断複写・配布・転載はできません

が理解しやすくなるので、試してみてはいかがだろうか。

　最後に、テレマーケティングでリードゲットを行う際のヒアリングシートに関してだが、その後の展開を想定し、もっとも受注確率を高くするのは、想定される対応の選択肢をあらかじめ8つほど準備しておくことだ。

　対応の選択肢というのは：

（1）営業連絡OK
（2）ヒアリングのみ
（3）受付拒否
（4）担当者拒否
（5）ユーザー取次ぎ拒否
（6）クレーム
（7）別会社が担当
（8）不通

といったもので、個人的にも組織的にもその後、ピンポイントの「次の一手」を効果的に打てるため、単純なようだが1コールごとのステータス履歴を定型化する意義は大きい。

④的確に答えられるQ&A集の作り方

　商談化の可否を決める顧客からの質問の可視化は、ほとんどの企業の課題ではあるが、共有化されていないのが現実だろう。

　実はこの質問は多くても20〜30項目に集約される。それらの項目それぞれに対処のトークなりツールが明示され、共有化されている営業部隊はクロージングまでのスピードが速い。

　内製、外製はともかく、Q＆A集を持っている会社でも、その多

くが"商品を売るためのＱ＆Ａ集"を作成してしまって成果が上がらず、私はよく相談を受ける。

　要は顧客の課題をあぶり出すためのＱ＆Ａでなければいけないのだが、このニュアンスがなかなか理解してもらえず、「いっそ作ってくださいませんか」という話になってしまう。

【Q&A集の一部】

Q1：その商品は、他の商品と比べて何が"売り"なの？

A1：はい、ありがとうこざいます。お客様の使用される環境や内容によってお客様のメリット（弊社商品の特徴）が違ってまいります。現状、御社は……。

Q2：過去におたくの商品を使ったけど、効果がなかったんだよなぁ〜

A2：申し訳ございません。恐れ入りますが、いつ頃のご利用でしたでしょうか。
（もしくは）効果がなかったとのことですが、どのような状況だったでしょうか。
（もしくは）弊社のどのサービスをご利用いただきましたでしょうか。

Q3：このキャンペーンは、何がお得なの？

A3：はい、通常料金の50％オフで提供しております。ただし、申し込み期間が○月○日までになります。
無料お試しキャンペーンになりますので、使い勝手をお気軽にお試しいただけます。
モニター使用後、格安にてお譲りいたします。

Q4：納期はどの位なの？
A4：はい、お客様のご希望される内容により納期も幅があります。お客様のご希望の中で、時間的な制約がございますか。平均○カ月から○カ月位ですが、ご希望はございますか。

Q5：価格は他の商品と比較して安いの？
A5：お客様が比較している商品やサービスは、何でしょうか。または、今一番気になる商品やサービスがございましたら、お教えいただけませんか。導入方法によって、ランニング型とイニシャル型をご用意しております。お客様のご都合によって料金の費用比較が可能になりますが。

Q6：見積もりがほしいんだけど
A6：はい、詳細なお見積りをお作りさせていただきます。ご希望をお聞かせいただけませんか。通常定価レベルのものになりますが、お客様の現状等お聞かせいただければ、何らかの対応の余地も見つかるかもしれません。

⑤役に立つ切り返しトーク集の作り方

新規アポイント獲得【リードゲットの場面】

　新規アポのための切り返しトーク集に関しては、いわゆる営業系というのか、営業が強いとされる企業においては、各営業部門、チーム単位、あるいは個人で持っているとか、どこかになくしてしまったが、体に染みついているという基本的なツールだ。
　ところが、商品力が強く、営業力を育てる必要もなかったという企業や、ルートセール主体でとくに新規開拓に注力する必要がなかった沿革を持つ企業というのは、この切り返しトークやトーク集になじみ

(図表Ⅱ-5) 切り返しトーク集

言われた言葉	状況	返し	ポイント
あいにく担当者は不在ですが…	電話に出た女性に即答で断られた場合	即答で言われた場合は断る為の手段である場合が多いので、もう一度聞いて見るか、何時頃だったらいらっしゃるのか聞いてみる、または電話に出られた方に直接伺える範囲内の事をアンケートに答えて頂けると結構ですので、伺わせて下さいと直接お会いに出向いて直接方々にお答えに答えてもらうのもよいと思います。	快く答えてくれる人はまずいないので、興味がある事を見つけることがポイントになります。大きな声で感じよく！
あまり時間がないので…	買い換え時期に必要とする情報などを聞いている状況	あらかじめ車種などを把握しておいて、使っている車種などパンフレットタイプなどを後々に利用して頂けるかなと、やはりお客様の所では荷物のたくさん運べるバンタイプが重宝すると言って上司にも聞き出し価格や経費はほとんどかからないタイプが重宝すると言って上司にも聞き出し価格やログを選択するのを希望しているのを聞き出すのに効果的だと思います。	用途を聞き出すことで、営業担当者が持参するカタログの車種を選定するのに役立ちます。
今乗っている車と言われてしまって… (あまり教えたくない状態)	車両情報のヒアリングをして、即答出来ない状況	今、お使い頂いているのは普通のセダンの乗用車などでしょうかそれともワンボックスやバンタイプのものでしょうか？	直接、車種を聞くのは難しい状況で迷わずに聞いてみると意外と教えて頂けます。
うちはN社の車使っていませんが…	N社車対象のアンケートとして勧誘している。	今回は県内の企業様にお電話させていただいております。N社車お使いになられていない企業様にも社有車選定のポイントやN社のイメージなどの観点から活用させていただければと思っております。	①この時点で否認締結できないことが確認できるのでアプローチしやすい、営業ではないというイメージの押し込み具合ない語句を使うことによって嫌な言葉ではないようなアプローチでしていただく②案内でその企業にそういう継続心を出仕さけさせる
うちはN社の車使っていませんよ…	他メーカーはいらないと言うから（断りモード）	M社さんのは無いと言う事ですね。今回は市場調査なので、各企業様の状況を伺っている次第です。	M社扱いのは承知済と言う態度で柔らかに話す。
カタログは必要ないよ	クローズの段階でカタログを勧められた	決してセールスでは無く、こういった新しい物が出ましたので、ご紹介でうちでカタログをお届けさせて頂いています。訪問という形ではお手元にお送らせていただきますが、郵送という形でお送らせていただきたいと思います。	訪問されると警戒されるので、と警戒する人がいるので、あくまでカタログだけというアピール。
カタログは持っていてどこになくてもよいので	訪問の挨拶は取れているものの、カタログを拒む場合	最近、新しいOO車のカタログが入っております。今後、何かのご参考にしていて頂ければと思います。	参考程度であって、営業的な要素を与えることが重要。
車の購入予定は無いから訪問には来なくて良い	営業掛けされると思っている	ご採購をお客様の声をお聞かせ頂ければと思います。決して営業ではございませんので安心して下さい。	あくまで挨拶に同じ姿勢をみせる
OO市で多かったコメント	ここは馴染みのない地域だからN社にも縁はない	はい、以前は地社の事と思いますが、M社車を購入されさんとこの度M社に販売連絡させていただけるところ、そこは業務提携させていただくこととなり、まずはOO内の企業様にご挨拶をさせていただきたいと思いご連絡をさせていただきました。	M社車も保有している企業であればM社とのOEMは興味あるところ、業務提携している時期だからこそを運絡しているという理由付けをはっきりさせてマーケティング活動の理解が得られるようにする。
ここは地元だからN社には縁はない。			
この電話は何なの？	リサーチ今後、法人の方々へのサービスをさらに活性化にしたいと考えまして、皆様のニーズにお答えできる名様にご要望やご意見をお伺いしております。	N社では今後、法人の方々へのサービスをさらに活性化にしたいと考えまして、皆様のニーズにお答えできる名様にご要望やご意見をお伺いしております。	お客様本位の立場で考えている事をアピールする事が重要。
社用車は使っていないよ。	規模的に個人と会社が区別されていないと思う事が多い	左様でございますか、では社でも事用車両を使われている方の方は社員の皆様をお乗せしてお仕事されているのかと思うのですが、そう言うことではなくてもお乗せして頂いた従業員の皆様には先日発表された新車のカタログをお届けさせていただきたいと思います、発表されたOOというコンパクトカーでマーケットなどでとてもご好評をいただいておりますが、どうぞ皆様でご回覧下さい。	土地柄本位で車はほとんど持っていると考えられる、自家用車はあるならば、受付の女性にも興味があるかもしれに興味なくも興味あるのでOOの話題は親近感を持ってもらう。

お客様の反応	状況	対応例
情報はいらない	ダイレクトメールがポイントを営業が来ると思っている	県内の各企業様に配付致しまして、N自動車の企業トピックスと新車の情報が掲載されている簡単な小冊子です。お受け取りになっておくだけでも何かお役に立つかと思いますが。	今回、○○市の企業様各位にお送りしておきまして、車の最新情報ですとか企業のトピックス等お楽しみ頂ける内容となっていますので、どうぞお楽しみ下さい。	県内の各企業様だけに限定して送付していないという事をアピール、安心感を与えお気軽にご覧下さいという雰囲気を出す。
情報誌もあまり必要ないので…	情報誌の送付をご案内している状況	今、お車にお乗りになっていますか？○年もお使いでしょうか？最近の車はたかに数年前に比べる、燃費も良くなっておりますから…お気に…	今回、ご購入予定の企業様ですとか、社員様各位で週刊誌をお読み頂ければと思っています。	○○市の企業様向けにのみ限定して発行しているという事をアピール、特定の企業だけに送付しているという名簿が重要。
新車は買う気が今のところ無いので…	新車の購入予定についての状況	いえいえ、私どもN自動車ではお客様のサービス向上に目指してまして、車に関するアンケートをお取りしており、決してセールスではございません。おしいところ大変恐縮ですが、2,3分お時間いただけますか？	挨拶の段階で一方的に言われた	直接、新車の予定は聞かなくて、間接的に、今の状況を聞く事が買い換えのタイミングを探る上で重要。
そういう段階ではお断りします	3コール目までの状態の場合、受付で情報誌の案内してみる	そうしましたら社有車の事でおかかりしまして○○社長はいらっしゃいますか？(いかに社長と話すかなんですよね。何度もお電話ではお客様にではあてお忙しいので、お手を取らせないよう情報提供バージョンを変えての発行見ておりますがしつこく電話せず一度訪問して直接社長様とお会いできる時を目指して下さい。)	単にコール完了でその場だけでは有効とは言えないので、社長とでなくとも重要な立場者の電話から状況を確認する。しかしここまでくる担当者以外ではかなり状況を重ねているので状況の電話の受付発送によるり受付発送までを気にし、ご迷惑になってまでもこのアンバーでのアンケートをとるというのは迷惑になりますよね。というようなニュアンスも込めつつ情報提供というスタンスでガードを弱めた上で、ご了解が出ればテーマ別に社長宛てのフロードF&送という形をとる。
担当者でないとわからないからね	担当者が女性になるケースの場合、その場合は何ちょっとだけ聞いてみる	ではと切り口を変えて伺いますが、○○社長のことではなかなかご存じないかもしれませんが、何か興味のあるの？とかいうコマーシャルは見てるのですか？とか思い出してみるのもいい。	誘導尋問的な感じで聞いていきます。ストレートに質問しただけでは、N社の場合何も感じていない方が多い。
特に無いです	N社に対するイメージを何ちょっと聞く	今、テレビコマーシャル等で色んな車を流しておりますが、何か興味あるお車などございますか？	CMイメージ付けしている事が多いので、有効だと思います。もし興味もる事がN社カタログ持参があれば結び付けていく。
N社のイメージが言われないなあ	N社の印象やイメージを質問する	これまで同じお客様にメインでやって頂いていたと思われるのですが、今後は県内のお客様の企業様にもサービスを提供させて頂きたいと思い、まずはご挨拶をさせて頂いたという事でお伺いしたいと思って頂けました。本日お電話させて頂いたのも、おししい時間帯を避けて近くに伺ってお話をさせて頂ければと思います。	営業や営業担当・販売会社などこういうアプローチ方法は悪いイメージの強いお客のN社の担当者がいて屈で言われ否定できる事業者になっている事情が多く、お忙しい時間に担当者の営業で直接いただきたい（用品）という気を払拭させて、自然にお客様の所を訪問したい旨の事を伝え了解を得ること。
N社の検討は考えていないいろんな訪問は必要ない	訪問というより悪いイメージの方が強いライターへのイメージが強く警戒する	○○市内を回っておりますが、お時間に商用車（乗用車）のカタログ持参がございましたら、よろしけば……おいしい時間帯もあるお知らせしておきましょうか？	ただカタログお送り致します事を案内する。事前状況に応じカタログから判断、あたりをつけてからアポをつけるチャンスを感じた時は従業員の皆様にもご挨拶してさせて頂けるとの事で有事と関わったイメージでガタログ送り込みへのカタログ送り込み何気変わるを解く、
社有車に対するポイントを訊いたとき	明らかにセールスだと悟られた場合、アンケートというのが引き受けるの方が勧めるのがよい	県内の各企業様にご挨拶をさせて頂いておりまして、お客様の生の声をお聞かせ頂きたいです。	ひいきにしているところがある、と言うのは重要な事返答ばぼあなたのところで大切にしている意味では自分のからないか下がらないかか、最後まで引き下がらないでタロログが案内を即する。
ひいきにしているところがあるからいいよ			
訪問しなくてもいいよ	訪問しなくてもいいよと思っている		営業ではあくまでも挨拶とスニュアンスをだす。

が薄い。その存在は知っていても、実際はどんなものなのか、実物に触れる機会も少ないとされるので、ここは詳細を示して解説したい。
　生産財で説明してしまうと、異業種の人間はまったくイメージが湧かないであろうから、ここはリアリティーを感じていただくために、法人に対し、クルマを営業するという設定で切り返しトークを解説していくことにする。
　ここで紹介するのは、派遣スタッフであっても数日間のトレーニングで十分に成果が出た実例なので、新人や非営業マン／ウーマンでも成果が出るという前提となっている。
　つまり、初心者であってもいっこうに差し支えないということだ。その際のフォーマットに必要な項目は「言われた言葉」「状況」「返し」「ポイント」の4点である。では例を示していこう。

ケース1
＜言われた言葉＞
あいにく担当者は不在ですが……
＜状況＞
電話に出た女性に即答で言われた場合
＜返し＞
即答で言われた場合は断るための手段である場合があるので、もう一度聞いて見るか、何時頃だったらいるか聞いてみる。
または電話に出た方に直接「わかる範囲で結構ですので」とアンケートに答えてもらうのもいい
＜ポイント＞
快く答えてくれる人はまずはいないので、興味をひきつけることがポイント。大きな声で感じよく！

ケース2
＜言われた言葉＞

あまり時間がないので……

＜状況＞
買い換え時に必要とする情報などを聞いている状況

＜返し＞
あらかじめ業種などを把握しておいて、使っている車種などが聞けていれば、「やはりお客様の所では、荷物のたくさん運べるバンタイプなどを今後もご利用でいらっしゃいますかねぇ」といった具合に聞き出す。
価格や燃費はほとんどの人が重視する項目なので、どのようなタイプを希望しているのかを聞き出せると、カタログを選択するのに効果的

＜ポイント＞
用途を聞き出すことが、営業担当者が持参するカタログの車種を選定するのに役立つ

ケース3

＜言われた言葉＞
**今乗っている車と言われてもなぁ……
（あまり教えたくない状態）**

＜状況＞
車輌情報のヒアリングをしていて、即答できない状況

＜返し＞
今、お使いいただいているのは、普通のセダンの乗用車などでしょうか？　それともワゴンやバンタイプのものでしょうか？

＜ポイント＞
直接、車種を聞くのが難しい状況では、遠まわしに聞いてみると意外に教えていただける

ケース4

＜言われた言葉＞
ウチはN社車を使っていませんが……

＜状況＞
N社車対象のアンケートかと勘違いしている

＜返し＞
今回は県内の企業様に電話をさせていただいております。N社車をお使いになられていない企業様にも、社有車選定のポイントやN社のイメージなどの観点からお話をうかがわせていただければと思っておりますが

＜ポイント＞
- この時点で購入実績がないことが確認できるので、アプローチしやすい。「N社のイメージ」という売り込み臭くない語句を使うことによって、単なる営業ではないという安心感を与える
- 県内すべての企業にアプローチしているということで、なんでうちにかかってくるのだろうという懐疑心を払拭させる

ケース5

＜言われた言葉＞
○○地区はM社が地場産業になってるから（断りモード）

＜状況＞
他メーカーはいらないという拒否の態度

＜返し＞
○○地区でM社さんが強いのは重々わかっております。今回は市場調査なので、各企業様の状況をうかがっている次第です

＜ポイント＞
「M社が強いのは承知済み」という態度で柔らかく話す

ケース6

＜言われた言葉＞
カタログは必要ないよ

＜状況＞
クローズの段階でカタログを勧めてみた

＜返し＞
決してセールスではなく、こういった新しい物が出ましたというご紹介でカタログをお勧めさせていただいております。訪問がお邪魔でしたら、郵送という形でお手元にお送りさせていただきますが

＜ポイント＞
「訪問されると押し売りされるのでは」と警戒する人がいると思うので、あくまでもカタログだけということをアピール

ケース7

＜言われた言葉＞
車の購入予定はないから訪問には来なくていいよ

＜状況＞
営業をかけられると思っている

＜返し＞
ご挨拶を兼ねて、お客様の生の声をお聞かせ願えればと思いまして訪問させていただいております。決して営業ではありませんので、ご安心ください

＜ポイント＞
あくまで挨拶に伺うだけという姿勢を見せる

ケース8

＜言われた言葉＞
この電話は何なの？

＜状況＞

リサーチ会社や営業だと思われている場合
＜返し＞
Ｎ社では今後、法人の方へのサービスをさらに強化したいと考えておりまして、皆様のニーズにお応えできるようにご要望やご意見をおうかがいしておりますが……
＜ポイント＞
お客様本位の立場で考えていることをアピールできるかが重要

ケース９

＜言われた言葉＞
社用車は使っていないよ
＜状況＞
規模的に、個人と会社が区別されていないことも多い
＜返し＞
左様でございますか。では、お仕事で車輌を使われる場合は社員の方のお車をお使いになられるのでしょうか？　そういたしましたら、社有車ということではなく、従業員の皆様にもご覧いただける新車のカタログをお届けさせていただきたいと思います。１月に発表されたエマメイⅡというコンパクトカーでコマーシャルなどでご存じかと思いますが……どうぞ皆様でご回覧くださいませ
＜ポイント＞
土地柄、車は足のようなもので、自家用車はほとんど持っていると考えられる。受付の女性でも個人的には車に興味があったりするのでＣＭで知っているエマメイⅡの話題は親近感を持ってもらえる

ケース１０

＜言われた言葉＞
Ｎ社の検討は考えていないから訪問は必要ない
＜状況＞

訪問というと、売りつけられるというイメージが強く警戒する
＜返し＞
これまでは個人のお客様メインでやってまいりましたが、今後は県内の企業様にもサービスを展開させていただきたいと思っております。まずはご挨拶をさせていただきたいという主旨で、お近くのＮ社の担当者が○○市内を回っております。
本日お電話でお時間をいただいたお礼の品と商用車（乗用車）のカタログをお持ちかたがた、お近くに行った際に顔を出させていただければと思いますが……。お忙しい時間帯もおありかと存じますので、避けたほうが良い時間帯などございましたらおうかがいしておきますが、いかがでしょうか？
＜ポイント＞
営業や営業担当・販売会社などというワードは売り込みのイメージが強く、拒否できる要素が強くなってしまう。お近くのＮ社の担当者という婉曲（えんきょく）な表現で軽い気持ちにさせる。「忙しい時間に電話で時間をいただいたのだから、せめてお礼の品を届けたい（粗品）」という謙虚な姿勢を示し、誠意を感じてもらう。
訪問時間帯を確認することにより、自然に訪問許諾へと導くことができる。そこで結論が出れば、ご希望のカタログを現社有車状況やヒアリングの内容から判断、あたりをつけてバン・ステーションワゴン・トラックなど車種をあげて確認する。
カタログで警戒心を感じた時は、従業員の皆様にも見ていただける新車エマメイⅡのカタログと社有車と離れたイメージをつけ、売り込みへの警戒心を解く

ケース11
＜言われた言葉＞
担当者でないとわからない
＜状況＞

3コール目までこの状態の場合は、受付で情報誌の案内をしてみる

＜返し＞

そういたしますと、社有車のことでおわかりになるのは〇〇社長でございますね。では、ご多忙のことが多いようでございますので、社長とお話しすることはむずかしいかもしれませんね。

何度もお電話してはお手数をおかけするだけかとも思いますので、Ｎ社本社から発行しております無料の情報誌をご送付させていただきたいと思います。〇〇社長あてに送らせていただきますので、皆様でご回覧いただけますでしょうか。車の情報から企業のトピックスまで様々な角度から楽しめる内容になっておりますので、どうぞ一度お目通しくださいませ

＜ポイント＞

単に3コール完了をするのはもったいないので、社長でなくとも車の状況がわかるかを確認。しかし、ここまでくると担当者以外ではわからないためにコールを重ねている場合が多いので、情報提供パーミッション（許可）を受付で打診してみる。

ただし、受付あてに送付となると名前を言いたがらない場合が多いので、担当は〇〇社長であることを確認したうえで、社長あてに改めたいが何回も電話しては迷惑になりますよね、というようなニュアンスを含めつつ送付というワードでガードを緩ませ、そこですかさずパーミッション（許可）をとる

　以上11パターンを例証したが、現物はその倍の項目からなる。念のために、ここで切り返しトーク作成の手順を紹介しておきたい。

《切り返しトーク作成の手順》
　（1）相手別（ゲイトキーパー、担当者、責任者など）断りのトークを収集する
　（2）相手別（ゲイトキーパー、担当者、責任者など）断りの理由

を推察し、「No」の種類（属性）を収集・分析する
（3）断りの理由をふまえた切り返しトーク作成のための素材を集め、ロジックを練る
（4）トークを組み立てる
（5）テストランを行い修正する
（6）テンプレート化する
（7）実施し、必要があれば再修正する

【クロージングの場面】

同じ切り返しトークでも、初回訪問のアポ取りと、すでに案件化してクロージングに至っている場合の切り返しトークとでは、根本的に目的が異なる。

アポ取りの場面ではアポイント、すなわち面会の約束を取りつけることが第一義であるために、さまざまなテクニックが展開でき、なお、それらのテクニックも奏功しやすい面がある。

一方、クロージングにはテクニックが通用する余地は非常に狭く、テクニック云々より状況を的確に把握することが最優先される。その状況に応じた、状況を把握するための切り返しトークという色彩が強くなる。したがってトークも個別具体性が強くなるため、ここではそのトーク作成に必要不可欠な要素をお伝えしたい。

《トーク作成に必要不可欠な要素》
（1）「No」の表と裏（本音と建前）を推察する
（2）裏側の障害は、実は限られている
　　（a）はなからやる気はなく、提案やコンテンツの情報収集
　　（b）実は決裁権がない
　　（c）はなから"当て馬"
　　（d）予算不足を言い出せない
　　（e）政治、バーターがらみを言い出せない　　等々

(3) テーマ別トーク作成のためのキーワードとトーク
 (a) はなからやる気はなく、提案やコンテンツの情報収集
  ＊"組織権力"がキーワード
  「弊社常務の大森が御社中村専務と懇意にさせていただいておりますようで、一度この件に関しても専務のほうにご挨拶と申しておりますが……」
 (b) 実は決裁権がない
  ＊"プライド"がキーワード
  「堀江さまがご稟議を上げるにあたって、お忙しいでしょうから稟議書の雛形を作ってまいりますので……」
 (c) はなから"当て馬"
  ＊"外堀"がキーワード
  「で、何社コンペって感じでしょうか？」
  「……」
  「今回のポイントは予算ですか？　提案内容ですかねぇ？」
 (d) 予算不足を言い出せない
  ＊予算の解釈・事情がキーワード
  「継ぎ足し、継ぎ足しでオーバースペックって訳ではないですが、予算が膨れ上がってしまうことがよくあるじゃないですかぁ、いい案があるんですよ……」
 (e) 政治、バーターがらみを言い出せない
  ＊示唆質問がキーワード
  「なんか今回は"神の声"って聞こえてきそうですかねぇ……」

6. 決裁者、キーパーソンの探し方

　新規営業の場合、最初に決裁者、キーパーソンにアプローチした場合と、現場の担当者にアプローチした場合とでは、成約までの期間、成約率、受注額に雲泥の差が出てしまうものである。

　担当者から課長職、部長職へと一階層ずつステップアップしていく営業に慣れてしまっている企業にとって、いきなり一部上場企業の取締役にアプローチするということは、"非常識"あるいは"お行儀が悪い"という風に映るかもしれない。

　しかし、逆に営業とは最初に決裁者、キーパーソンにアプローチして進めるものだという方法論に慣れてしまった者にとっては、現場の担当者にアプローチするなど「東京から新大阪まで"こだま"のグリーン車で行くようなもの」に匹敵する、信じがたい間の抜けた方法なのだ。理由は簡単で、生産性がまったく異なるだけでなく、営業マン／ウーマンの成長スピードも2～3倍以上の開きがでる。

　その業務や職務に経営的な視点が必要とされる場合、それを身につける最高の方法は、日々経営陣に触れる業務につくことだ。"日々是研修"の状況になるため、その効果は想像に難くないだろう。営業も同様だ。

　だいたいロジカルに考えても、経営課題や業務の課題に関し、意思決定しているのは役員以上であることから、そこからもっとも遠いところに営業をかけるのは、これ以上ない非効率的な方法と言わざるを得ない。

　少々失礼な話にはなるが、もともとルーティーンで汲々としている現場の担当者に、もっと仕事が増えてしまう話を持っていったとして

も、後回しになるのがオチだ。案件化するのは、経営側から検討課題として現場に落ちている場合に限られるため、もっとも歩留まりが低く費用対効果の悪い成果となる。

　役員や一部上場企業の部長にアプローチするなど、よほど熟練したスキルや経験、テクニックが必要なのでは、という誤解が多いのだが、現実は、適切な方法論があれば、新入社員や派遣スタッフであっても最長1週間のトレーニングで、9割方の商材で実現可能である。

　ちなみに某社の記録では、平均的な派遣スタッフだけで年間1700件を超えるトップアポを実現している。

　そこでまず、手始めに、決裁者、キーパーソンをリサーチする方法から紹介していきたい。

①帝国データバンク、ダイヤモンド社などのリストからフルネームを入手

　前出の帝国データバンク、ダイヤモンド社などのリストや職員録、役員録、業界団体の会員リストなどから、対象者のフルネームを入手することができる。

②セカンドゲイトキーパーから聞き出す

　キーパーソンの名前がわからず、リストなどからも入手できない、あるいはリスト集め自体が面倒なので、もっと手っ取り早く対象者にアプローチしたい場合などは、セカンドゲイトキーパーから対象者のフルネームを入手する方法がある。

　セカンドゲイトキーパーというのは大代表がゲイトキーパーだとすれば、部門代表だったり、課の庶務だったり、部長秘書だったりする。

要は、代表からの電話を次に受ける人間のことを指す。
　代表番号の受付にはさすがに「御社の営業マネジメントの責任者はどなたになりますか？」とは訊けない。また訊けたとしても、「どの本部の営業になりますでしょうか？」と返されてしまう。
　営業にトークスクリプトがあるように、電話を取る側にも"電話応答マニュアル"なるものが存在するため、安直にこちらの思惑通りにことは運ばない。
　ゲイトキーパーの後に電話を取るセカンドゲイトキーパーに重要な案件と思わせるトークを手短に展開し、「トップセミナーのご案内を差し上げたいので、部署名とフルネームを頂戴したい」旨を告げる。
　当方の企業名を認知している場合の成功率が高いのは言うまでもないが、認知度がなくてもキーワード次第で入手できることが多い。
　あえて"部署名、フルネーム"という言い方をするのは、「第三営業部の吉田部長だとはわかっているが、その上の本部名が不明だから」「苗字だけの案内状では失礼なので、下の名前を尋ねている」という推測を相手の脳裏によぎらせるためである。
　具体的に重要な案件と思わせるには：

（1）付加価値軸、コスト軸でのキーファクターをぶつける
（2）インパクトのある実績を示す
（3）権威を示唆する

　などの方法があるが、肝心なことは、目的に応じ電話を分け、フルネームを聞き出した後、少々期日をおいてご指名のアポ取り電話を入れることである。
　ただし、この方法は品格のある、落ち着いた対応でないと見透かされるので、注意していただきたい。

③他部門のキーパーソンを紹介してもらう

　大手企業やグループ会社を持つ企業に関しては、他部門や他のグループ会社のキーパーソンをご紹介いただいて、横展開を図るという効果的な営業方法が可能となる。

　当該企業の他部門、グループ内企業に実績があるというのは、シード権を持って予選に出場するのに等しいアドバンテージを持つ。

　しかしながら、営業する側から見れば紹介営業にはこのうえないメリットがあるが、紹介する側には何もメリットがないどころか、逆に何らかの癒着を勘ぐられる危険性さえある。

　したがって、前後の空気を読んでいない不用意な「どこか紹介してくださいよ」という依頼は成功裏には推移しない。

　日常から、あるいは新規開拓後の場合であっても、当初から紹介依頼を念頭に入れた関係の構築が伏線として必要なのである。

　同様の課題を抱えている他部門の把握のための示唆質問は、他の商談の流れの中で可能であるし、こちらがどう処すことが紹介者に手柄を持たせることにつながるのかという機微も、事前につかんでおきたい。

　たとえば、コスト部門で年間数億円のランニングコストの低減に成功したなら、そのソリューションは紹介する側にとっても紹介しやすい話だろうし、それによって紹介された先でコストダウンに成功できれば、紹介者の手柄にもなる。

　紹介を依頼するTPO（Time、Place、Occasion）も多岐に及ぶが、代表的なものを紹介しておきたい。

　まず一般的なのは、横展開できそうな部門を尋ね、そこのキーパーソンを聞くケースだ。ここからは、その人から当方の希望を伝えていただくケースと、その場でキーパーソンの連絡先、役職、お名前をお聞きして、その人からの紹介だとして当方からキーパーソンに連絡す

るケースがある。

その人から事前にキーパーソンに一本電話なり、メールを入れていただき、当方からキーパーソンに連絡というケースもあるが、状況によってどの方法が適切かが変わるので、ワンパターンな対応だけでは成果は限られてしまう。

さらにはもっと婉曲的(えんきょくてき)にセミナーなどを利用して、そこに同行を依頼するケース、接待やゴルフなどをきっかけにする場合、あるいは、社内勉強会などで集合的に接点を作る方法などがある。

④政府各所管法令審議内容や規制などの話題でゲートキーパーを突破

少々高度な決裁者、キーパーソンリサーチにも触れておきたい。いきなり代表番号や部門代表に電話して、そこからキーパーソンを知る方法である。

ポイントは、ゲートキーパーが瞬時に断る判断ができず、逆に「ちょっと聞いておかなきゃまずいかな」と思わせる端的なキーフレーズをぶつけることである。

伝統的な手法は"政府各所管法令審議内容"や"規制"についての話題でふることだが、直近ではさしずめ、「○○業界における個人情報保護法に関する△△の審議内容に関して業界トップ5の見解をヒアリングしておりますが、担当役員の秘書の方におつなぎください」「ISMSに関しまして、わかりやすくブレイクダウンしたツールがお客様から喜ばれておりまして、御社にもお持ちするように言われておりますが……」といった感じだ。

この方法には"でまかせ"は通用しないので、相手の質問に耐えられるトークスクリプトの準備が必要になる。

ゲートキーパーを突破し、キーパーソンに接触できたら、「個人情

報保護法の運用に関して、PCの持ち出しに関する他社のケーススタディー集がやっと上がりましたので、ご挨拶かたがたお持ちしたいのですが、来週ですと、どのあたりが……」といった展開でアプローチすれば、高いアポ獲得率が可能となる。

　トークスクリプトを作る者だけでなく、入電する者も各省庁のHPをまめにチェックし、日常的な"ネタ集め"を習慣にしておくと"底力"がついてくるので、継続的に取り組むことが肝となる。

7. 決裁者、キーパーソンへの アプローチに成功する方法

①顧客の課題解決に役立つ商材であること

　電話の向こうの相手とアポイントが取れるか取れないかは「50：50」、逆に相手にとっても会うか会わないかは「50：50」ということになる。そして会ってみようという動機（プラス要因）、断ろうという理由（マイナス要因）とによる計算が受話器の向こうの相手によって瞬時になされているのだ。
　相手が会うか、会わないかを判断する要素は：

（1）会社の知名度
（2）課題に対する優先度（興味や関心度）
（3）商材に関する魅力度
（4）現在の忙しさ度合い
（5）電話口の声の信頼性

などである。これらの要素がその都度で、あるウエイトをもってアポが取れたり取れなかったりするのである。
　知名度の高い企業は、知名度の低い企業よりその名がアドバンテージになるケースが多いのは間違いないが、知名度が高いからといってそれだけで新規の営業のアポが取れるのは例外的なケースに過ぎない。
　あくまで相手の興味・関心をひきつけるのは、直面している課題や、

その解決のための商材であり、こちらのウエイトのほうが数倍高い。
　したがって決裁者、キーパーソンへのアプローチについては社名と自分の名を名乗った後のトークで勝負が決することになる。そこで、総論として軽く大局を述べるフレーズがKFS（Key Factor For Success）となる。

②役員は最初の25秒のトークが勝負

　役員へのアプローチに関しては、なぜ役員を訪問しなければならないかという理由をはっきり練っておかなければ、せっかくゲイトキーパーを突破してもアポを獲得することはできないという認識が重要である。
　担当者や担当マネージャー、部課長ではなく役員に面談しなくてはならない理由が正当性を持っているならアポは取れやすくなるであろうし、ただ対象を役員にしただけの特攻的なアプローチではゲイトキーパーは欺けても、役員には通用しないと心得るべきである。
　役員とのやり取りは、こちらが名乗った後の25秒が勝負になる。その間に商材のベネフィットを伝え、理解していただき、興味を感じていただいた時にはじめてアポが取れる。

【役員アポ獲得の極意（年間1776件の役員アポ実績より）】
- 役員に対しては通常と逆で、絶対、電話で具体的なヒアリングから仕掛けてはいけない
- 「25秒」で電話の主旨を相手に理解させる
　→話すのではなく、理解させる
- 準備として、商材のベネフィットを書き出し、そこから削って言葉を短くして「25秒」で主旨が伝わるフレーズに練りこむ
- 「25秒」後に相手から反応がなければ、それは主旨が伝わってい

ないので、フレーズ自体をもう一度練り直す
- 伝わった場合は、相手から質問が他社導入実績を聞かれる場合が多い

③部長、部門長は課題をフックにアポ獲得

　部長、部門長職へのアプローチ上の注意点は、想定される彼らの課題を前振り（フック）として示せるかどうかにある。
　そのフックが効けば、そこから彼らが認識している課題をヒアリングし、その流れの中で、「電話でもなんなので、ご挨拶かたがたお伺いしたい」という自然なアポイント獲得になりやすい。
　注意すべきところは、一方的な商品紹介なら簡単に「忙しいから」とさばかれ、次回から居留守になり、前の盛り上がりのないなかで最後の述語を「ご挨拶に伺いたい」にすると、「一見の人間の挨拶を受けるほど暇ではない」という言外の意味を含んだ「興味ありません（ガチャ！）」と慣れた調子であしらわれ、彼らの記憶にも残らない結末となってしまう。
　あくまでフックからのスタートであり、売り込みや商品説明は聞かれるまで一切しないというスタンスが肝になる。
　簡単な自己紹介、短い言葉でベネフィットを伝え、相手が答えやすい一般的な質問を展開、例を挙げると、「R88の田村と申しますが、ただ今上場企業300社にご利用いただいているサービスなのですが、会社説明会の学生の効果的な動員などで何か課題はありませんでしょうか？」といった流れだ。

④現場の担当者、課長は課題感の共有トークで

　現場の担当者、課長職に対するアプローチの注意点は、経営レベルの課題をダイレクトにぶつけてもヒットしないことにある。むしろ経営レベルの課題は現場の課題にまでブレークダウンし、現場の課題感を共有できるトークに落とし込むことが肝心だ。
　現場の興味・関心、課題感にあたりをつけ、乗ってきてくれそうな話題、コミュニケーション展開を考えたい。
　また、上位他社の課題解決事例などがあれば、そういった事例は現場にとってベンチマーキングの手本にもなる有効な情報なので、アポイントのフックに十分に値する。

⑤「情報交換」を突破口に深耕

　かつては「ご挨拶かたがた」とか「ご挨拶を兼ねて」というフレーズが"ダイレクトな売り込み"ではありませんという表現として用いられたが、その後「名刺交換を兼ねて」が加わり、近年では「情報交換」というキーワードが多用されるようになっている。
　扱っている商材や営業特性によって判断が変わるのは「名刺交換だけでも……」というトークを許容するかどうかだろう。
　"蟻の一穴"ではないが、まずは名刺交換を突破口にして、そこから深耕していくのであればそのトークは最終手段としてはOKだが、そんな消極的な軽いアポは無駄と忌み嫌う業界や企業も多い。
　同様に「エリア」というワードがある。「このエリアを担当することになりました河合と申しますが、積算ブックをお持ちしたいのですが……」というやつだ。

その是非はともかく、方法としてはあるので、自社、自分の業界を勘案したうえで判断していただきたい。

8. 営業シナリオをフローで描き共通財産にする

　第Ⅱ章の1～7までは各論を述べて来たが、ややもすると"木を見て森を見ず"ではないが、全体的な流れが明確でないために、なかなか営業上の有効打が打てずにいる営業部隊に出会うことがあるので、ここでは大局的に全体の流れを示す営業展開シナリオのイメージのフローを例証（図表Ⅱ－6）しておきたい。
　このような営業業務フローの効用は、まずもって営業の可視化にある。営業を可視化、スタンダード化することによって、属人的な要素でブラックボックス化されない、営業の手順の明確化、共有化が可能になるのだ。
　その背景には、「プロでなくてもそこそこの業績を」という動機がある。ちょうどゴルフの腕前を道具でカバーするのに似ている。
　具体的には、同じ100名の営業マン／ウーマンからなる部隊でも「100名に1人の10億円プレーヤー＋4名の5億円プレーヤー＋80名の1億円プレーヤー＋15名のゼロプレーヤーより、100名の3億円プレーヤー育成を」という発想である。
　属人的な要素を最小限にすることにより、"落ちこぼれ"防止ができるので、全体の底上げにつながり、短期間で普通の能力の人間を戦力化するという思考なのだ。
　プロでなくてもそこそこの業績を、と言ってしまったら言い過ぎだが、ホームラン志向、エース待望論とは対極にある営業のスタンダード化のほうがコンスタントに業績を上げる事実を否めない。
　「こんなものは頭に入っている」という向きもあるかもしれないが、あなたの頭に入っている云々ではなく、新入社員、派遣社員を含め、

全員の頭の中で共有しているかが大切なのだ。

　どんな営業部隊にも、肝心な営業プロセスが欠落していたり、勝手に我流の手順で進めてしまったりするメンバーがいるものだが、ルールとなるフローが可視化されていないと、本人に「なぜまずいのか」を納得させることができないので、根本的な解決とならないのだ。

　図表Ⅱ-6は1000件のリストを用いてキーパーソンリサーチから営業をスタートさせる営業業務フローを示している。そのテレマ（テレマーケティング）の電話でキーパーソンが判明したか否かで進むフローが変わる。

　ここで大切なことは、判明率を記録しておくことである。そのデータを定量化しておくことにより、当該営業の属性が明確になるのだ。

　キーパーソンが判明すれば、図表のように粛々と営業活動を展開していけばよいが、判明しない場合がむしろ重要となる。

　この商材の場合はキーパーソンが不明の場合は資料送付をフックにキーパーソンを洗い出す展開となっており、資料送付後に確認の電話を入れ、手元に届いていない場合は返信用紙を添付のうえ、再送することにしている。

　そしてその返信の有無から再度アプローチ方法を変えていくというものだ。

　当該業務フローがあることによって、このケースでは、"キーパーソンがわからないから営業の進め方がわからない"として事実上、営業をかけずに放ってある企業を最小限にすることを可能にしている。

　100名の営業マン／ウーマンからそのような手付かず企業を50％削減できたら業績はどのように変わるか、を想像していただきたい。

　このような営業業務フローは誰が見ても一目瞭然なのが大事で、それゆえ、シンプルなため作りやすいという側面を持っている。

（図表Ⅱ－6）営業業務フロー例

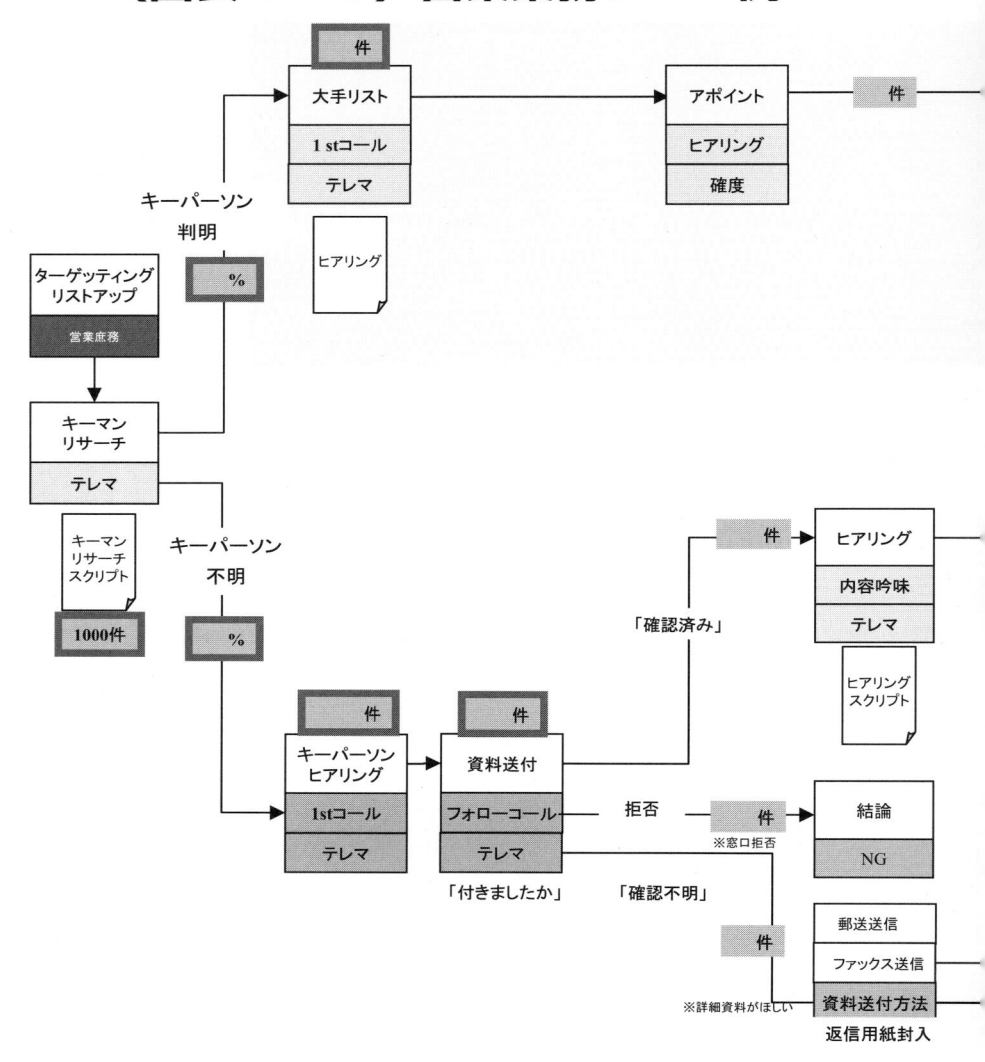

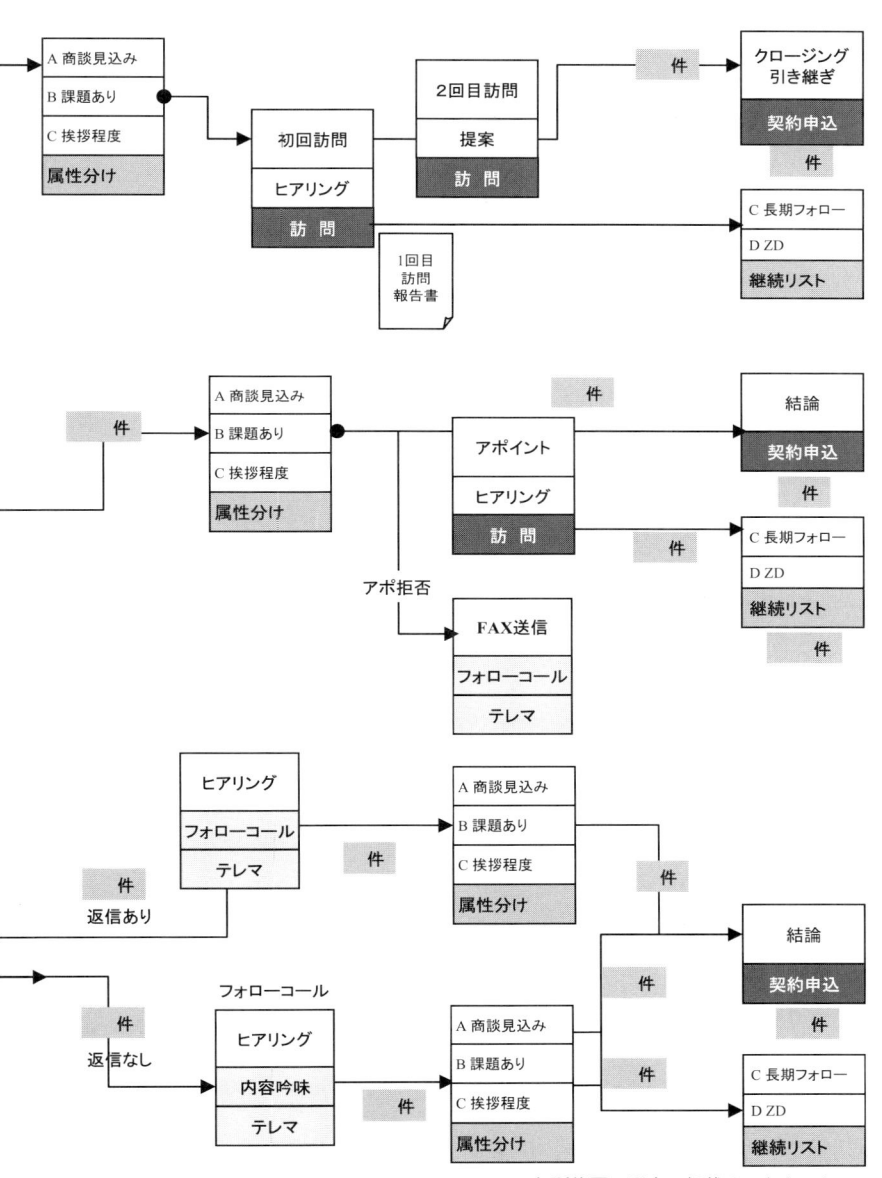

```
                                                        件         クロージング
   ┌─ A 商談見込み                                                  引き継ぎ
   │  B 課題あり ●──┐         2回目訪問  ──────────┤           ├──────────
   │  C 挨拶程度    │  初回訪問   提案                          契約申込
   │  属性分け     └→ ヒアリング   訪  問                            件
   │               訪  問
   │                          ┌──────────────────→ C 長期フォロー
   │                                                           D ZD
   │                     1回目                                 継続リスト
   │                     訪問
   │                     報告書
   │
   │                                          件                結論
   │   件    ┌─ A 商談見込み
   │─────→  │  B 課題あり ●──┐  アポイント  ───────┤        契約申込
   │         │  C 挨拶程度    │  ヒアリング                        件
   │         │  属性分け     └→ 訪  問    ───件───→ C 長期フォロー
   │                                                           D ZD
   │                         アポ拒否                          継続リスト
   │                           │                                   件
   │                           └→ FAX送信
   │                              フォローコール
   │                              テレマ
   │
   │         ヒアリング            A 商談見込み
   │         フォローコール        B 課題あり ───────┐
   │   件    テレマ         件    C 挨拶程度    件   │
   │─────→                ────→  属性分け            │      結論
   │   返信あり                                      │    契約申込
   │                                                 │        件
   │         フォローコール       A 商談見込み  件   │
   │   件    ヒアリング           B 課題あり ───────→ ─→ C 長期フォロー
   │─────→  内容吟味       件    C 挨拶程度                    D ZD
   │   返信なし テレマ      ────→ 属性分け                      継続リスト
```

9. アプローチの成功法則

　いよいよアプローチの実施の議論に移ろう。
　たとえば、アタックすべきリストが1000社から構成されていたとする。それが五十音順で構成されていたなら「ア」の会社からアプローチするのもひとつの方法ではあるが、効果を考えると、リスト全体を3つの集団に属性分けして、もっとも受注確度が高い集団からアプローチしていくと業績だけでなく、営業マン／ウーマンのモチベーションが保ちやすい。

①リストを見込別に３つの集団に分ける

　オーソドックスな3分類の方法として、A群を見込客として確度の高い企業、B群をA群に準じて確度が高い企業、そしてC群は確度の見えない企業という分類がある。
　まず、A群の確度の高さを何から類推するかというと：

（1）会社規模（社員数、売上げ）
（2）過去の販売実績
（3）業態
（4）エリア
（5）上記のクロス

などが一般的なところだ。B群についてもA群と同様なのだが、な

んらかの線引きをしてB群として区別する。その基準はたとえば、従業員が300名以上1000名未満だったり、自社の営業拠点から2時間以上かかる都市の企業だったり、月販300万円未満の店だったりする。C群についても：

 (1) 今までの実績がない
 (2) 急成長ベンチャー、進出外資
 (3) 与信がみえない

といった理由で非重点顧客として区別し、独自の営業方法で対応するケースが多い。

②断り、障害への対策を事前に準備する

　ここからは具体的な実践論として解説していくことにする。自らが新規アプローチを実施する場合でも、あるいは部下、後輩やアウトソーシング先の部隊を利用する場合においても、相手の"断り"をあらかじめ分析し、対策を練っておくことによって営業ロスを最小限にとどめることが可能になる。ここではその実例を紹介から始めたい。
　営業マン／ウーマンがアプローチ場面でアポが取れないというケースは100％の企業が直面する問題であるが、いくつかのパターンがある。
　受付段階で断られてしまうのか、それとも担当者と話ができているのにもかかわらず断られてしまうのかは異なる症状であり、原因が異なる。
　どこに原因がありそうかからチェックを始めたい。ただ漫然とその状況が繰り返されるのは、リソースの無駄遣いと言わざるを得ない。

(1) そのリストは有効か

電話番号が不通。ターゲットとならない企業、"ガチャ切り"ばかりなど、使用しているリストによる理由が大きいときは、やはりリストを見直すべきで、できる限り無駄なコールをしなくて済むような工夫が先決である。

(2) 受付、ゲイトキーパーでアウト
——「断られ方」を研究して打つ手を考える

まだ数本しか電話をしていないのに、「ダメだ……」という先入観を持ってしまうパターン。アプローチ開始当初によく見られる。

断られてもいいから、とにかく「量」をかけるようにするのが最善策で、たくさんの「断られ方」をパターン化し、それに対する打ち手を皆で考えていく。

断られるのが嫌で、なかなかコール数の上がらない時もあるし、そのようなメンバーもいるが、「断られてもいい」と割り切って、またはメンバーには言い切って安心させてあげることがポイントとなる。「断られること」も成果なのだと理解できれば、コールする元気を取り戻せる。そして受付段階では必要のない「商品の説明」や「会社案内」をしすぎて失敗する初心者もいるので、ここは用件を一言で片付けて通過したい。

(3) キーパーソン、担当者でアウト
——突破に成功する3つの方策

キーパーソン、担当者に断られる場合は大きく分けて3パターンほどに分かれる。

まずは、ほとんど話をさせてもらえず「興味がない、必要ない……」と言われてしまうパターンだ。

基本的には本当に興味がない場合が多いのだが、こちらの営業担当者やオペレーターを変えてみると話を聞いてくれたりすることも少な

くない。経験則としては女性で、ちょっとゆっくりめに話す人がこの場面では最強である。

次は、少し話を聞いてくれたうえで「興味がない、必要ない……」と反応されるケースだ。

一番テコ入れが必要なパターンで、商材に魅力がなくて興味を持ってもらえないのか、それともこちらが商材の魅力を伝えきれていないのか、まずはボトルネックを明らかにするところから始めたい。

そして最後は、「もう他社のを使っている……」というパターンだ。

商材によっぽどの優位性がない限り、すぐ変えてくれることは皆無。他社商材を選んだ経緯、次回に選ぶ際に重視するポイントなどをヒアリングしていきながら、クライアントの商材の優位性を理解してもらい、アポにつなげていく。

一方、「挨拶アポでも営業に行けばなんとかなるので、とにかくアポ！」というスタンスなら、これは粘るしかない。

「短い時間でもいいので」「まずは名刺交換・ご挨拶」「弊社製品についてお客様の意見をお聞かせいただきたい」「近くを回らせていただいているので」「資料をお届けに上がります」という軽いアポでも、商材の金額によっては対応可能なので、そのあたりから攻めたい。

（4）自分だけアポが取れない
──自分の課題をはっきりさせる

どういうところでつまずいているかを相談するなどして、自身の課題把握度をはっきりさせたい。

ここで「他の人と同じようにやっているのだけれど……」と課題が見えないようであれば、まず、他のメンバーのトークを聞いたり、ロープレをしたりするなどして、「良いと思ったトーク・ポイント」を自覚し、課題をはっきりさせてからアドバイスをもらいたい。

逆に、つまずいているポイントが最初からわかっていれば、それに対するアドバイスをもらう。

全体的な対処としてはメンバー全員で情報共有のためのミーティングを実施、「どういう断り方をされることが多いのか、また、それに対して自分はどうか」という共有で底上げしていく方法が一般的だ。

(5) ヒアリングができない
——相手が答えやすい質問をする

現実問題として、"聞けない"のではなく"聞こうとしていない"というスタンスの問題も昨今は散見されるようになっているが、ここでは多頻度で登場する特定の項目が聞けないケースとヒアリング内容が薄いケースを紹介したい。

まず前者については、「○○ですとか、××はお使いですか？」と相手がYes／Noで答えやすいように聞き方の工夫するのがファーストステップとなる。

次にスクリプトどおりでなく、聞く順番を変えてみる。もちろん会話の流れが優先だが、聞き出しやすいものから順にとか、電話を切る間際（まぎわ）に「最後に、ひとつだけよろしいですか？」と粘って直球勝負とかバリエーションを工夫してみるのがいい。

そして、優先順位が低いヒアリング項目であれば、思い切って聞かないという手もある。

ヒアリング内容が薄いというのは、アポ取りよりむしろアポ取り前のキーパーソンリサーチなどである現象だが、アンケートのようにただ「項目に答えてもらう」ヒアリングの仕方だと、よく陥りがちになる。

「なぜこの項目をヒアリングするのか」「この項目が聞けると、どういうメリットがあるのか」等、ヒアリング項目のバックグラウンドを考察すると、商材や業界、トークそのものへの理解が深まり、アンケート調になるのを防ぐことができる。

③返しトーク集でアポ獲得率アップ

返しトークに関しては「5．受注に成功する営業ツールとトークの準備　⑤役に立つ切り返しトーク集の作り方」で例示したが、こういった例は多いに越したことはないので、ここではさらに深く掘り下げたい。

「5　受注に成功する営業ツールとトークの準備」での切り返しトークの例は有形財の社用車が商材だったので、ここでは無形財のサービスを営業するという前提で、人材サービス会社、"(株)くろくまスタッフ"が営業アウトソーシングサービスの営業を展開する例（図表Ⅱ－7）を示したい。

(1) ゲイトキーパーを突破する６つのトーク

大代表受付（ゲイトキーパー）で多頻度で登場するフレーズは、次のようなものだ。

- 「どのようなご用件でしょうか」
- 「恐れ入りますが、代表からは役員や秘書に取次ぐことはできかねます」
- 「くろくまさんって人材関係ですよね？　でしたら、人事部にお繋ぎいたしますが」
- 「正確な担当部署名と名前がわからないとお繋ぎすることはできかねます」
- 「こちらからお願いした件でしょうか」
- 「新規のご案内は弊社の方に一度資料などを送っていただきまして、必要があれば担当の者からご連絡させていただきます」

といった具合だが、おなじみのフレーズではなかろうか。

事前にトークの準備はしておくとしても、実際にアプローチを開始したら、そこから一人ひとりの営業マン／ウーマンが体験した現実の

（図表Ⅱ－7）切り返しトーク例

相手	言われがちな言葉	返し1
大代表受付	どのようなご用件でしょうか？	弊社くろくまグループで人材サービスを行っている会社では御座いますが、今回は事務職などの派遣のお話ではなく、1999年の派遣法の改正によりまして営業活動におけるサービスが解禁になりまして、そちらのご案内という事でお電話させて頂きました。（キッパリ。）
	恐れ入りますが、代表からは役員や秘書に取次ぐことはできかねます。	左様でしたか。失礼致しました。 （と言って切る。）
	くろくまさんて人材関係ですよね？でしたら人事部にお繋ぎ致しますが。	いえ、確かに弊社は人材サービスを行っている企業ではございますが、今回は通常の事務派遣などとは別件のお話でお電話させて頂きましたので、○○部の△△様宛でお呼出し差し上げている次第なのですが。。。
	正確な担当部署名と名前が解らないとお繋ぎすることは出来かねます。	左様でしたか。失礼致しました。 （と言って切る。）
	こちらからお願いした件でしょうか。	いいえ。 （と言って切る。）
	新規のご案内は弊社の方に一度資料などを送って頂きまして、必要があれば担当の者からご連絡させて頂きます。	左様でしたか。失礼致しました。 （と言って切る。）
部署受付	どのようなご用件でしょうか？	営業活動に関するサービスのご挨拶を○○様宛てにさせて頂きたく・・・
	そういったお話は人事の方にお願いしたいのですが。	営業活動に関することですので、是非○○様とお話させて頂きたいのですが。
担当者	んーそういう話は僕じゃなくて、人事だなぁ・・・。	確かに、派遣などを導入して下さいというお話でしたら、やはり本来の人事などのご部署にご連絡させて頂くのがスジですけれども、今回導入して下さいというお願いではなく、あくまで事例のご紹介をさせて頂きたいだけで御座いましてですね、人事のご部署だと、各営業部様や事業部様の課題感などがお分かりになっていらっしゃらない事の方が多いんですよねー。 各営業部（各事業部）ごとに取り扱っていらっしゃる商材や、営業戦略、営業課題って、違ってきますよね？（促す。） まずは○○様からお聞かせ願える範囲で構いませんので、お話を伺わせて頂いた上で、見合ったような事例をご紹介させて頂きたいのですが。
	人事の方を通してくれているんだったら、会ってもいいよ。	弊社、事務職派遣などでお世話になっているのですが・・・（もう既に人事と繋がっているんだよー・・・と匂わせつつ。）かしこまりました。では、人事の方に一度ご連絡させて頂きまして、再度また、○○様にご連絡させて頂きますので、どうぞ宜しくお願い致します。

返し2	今までのケース等	その後の対応・その他
営業アウトソーシング事業のご案内でお電話させて頂きました。(キッパリ)	部長クラス以上（執行役員や取締役、場合によっては社長さん等）を呼び出すので、大抵用件を聞かれたり、拒否されることが多いです。	
		アッサリ切る。で、代表電話の一番違いに当てずっぽうで掛けてみる。「あれー？営業部さんでは…？」とすっとぼけてみる
	ありがた迷惑とはこのこと。「名前で呼出してるんだから、名前の人を出せばいいのでは」と心の中で呟きながら、穏やか〜にひっくり返す。	
はい、以前一度ご挨拶をさせていただきまして…		
それでは、お送りさせていただきます。どなた様あてにお送りすればよろしいでしょうか。		

無断複写・配布・転載はできません

断り文句を記録、収集し、多頻度順にウエイトづけし、切り返しトークを持ち寄り、トークスクリプトを進化させるのが、強いと呼ばれる営業部隊の方法論である。

お互いのトークの合理性を評価し、適切な"返しトーク"を決め、対比型トーク集（図表Ⅱ-7）を作成し、練習すると短期間で営業力が均一にレベルアップする。では、上記の対応に関し、切り返しトーク、もしくは対応を見ていこう。

(a)「どのようなご用件でしょうか」
【返し】
「弊社、くろくまグループで人材サービスを行っている会社ではございますが、今回は事務職などの派遣のお話ではなく、99年の派遣法の改正によりまして営業活動におけるサービスが解禁になりまして、そちらのご案内ということでお電話させていただきました（キッパリ）」

もしくは「営業アウトソーシング事業のご案内でお電話させていただきました（キッパリ）」

→部長クラス以上（執行役員や取締役、場合によっては社長等）を呼び出すので、たいていこのように用件を聞かれたり、拒否されることが多いのだが、ひるまずにキッパリ言い切る。

(b)「恐れ入りますが、代表からは役員や秘書に取次ぐことはできかねます」
【返し】
「左様でしたか。失礼いたしました」（と言って潔く切る）

【上級者向けの技】
代表番号の1番違いに電話する
→代表番号の前後1番違いは他部門へつながる確率が高く、その他部門は比較的外線がかかることが少なく、無警戒で目的の部

門にまわしてくれる場合が多い

(c)「くろくまさんって人材関係ですよね？　でしたら、人事部にお繋ぎいたしますが」
【返し】
　「いえ、たしかに弊社は人材サービスを行っている企業ではございますが、今回は通常の事務派遣などとは別件のお話でお電話させていただきましたので、○○部の△△様あてでお呼出し差し上げている次第なのですが」

(d)「正確な担当部署名と名前がわからないとお繋ぎすることはできかねます」
【返し】
　「左様でしたか。失礼いたしました」（と言って潔く切る）

(e)「こちらからお願いした件でしょうか」
【返し】
　「いいえ、そうではありませんが……（困惑したふうを演じ、沈黙する）」、もしくは「はい、以前一度ご挨拶をさせていただきまして」とさらっと流すのも方法。
　嘘はご法度だが、ある程度の規模の会社なら、グループ企業の誰かが、どこかの部署でお世話になったことがあるだろうという推測から。

(f)「新規のご案内は弊社の方に一度資料などを送っていただきまして、必要があれば担当の者からご連絡させていただきます」
【返し】
　「左様でしたか。失礼いたしました」と言って切るか、「それでは、お送りさせていただきます。どなた様あてにお送りすればよろしい

でしょうか」と対応するか。

【受付（ゲイトキーパー）突破の極意】
■重要な案件と思わせるには
- 「御社のXXXの件で……」と目的を相手側にする
- 低い声で話す
- ゆっくり話す
- 権威を示唆する
- 「本日は大変重要なお話で……」と愚直に告げる

■担当者名で名指し
- 担当者名指しだと、受付は断れない
  → 業務上の電話か売り込み電話か判断できない時は、通す場合のほうが多い
- 担当者名はwebで調べる（組織図から担当役員を名指すと部課長が代わりに出る）

（2）セカンドゲイトキーパーを突破する2つのトーク

部署受付（セカンドキーパー）で多頻度で登場するフレーズは次のようなものだ。

(a)「どのようなご用件でしょうか？」
【返し】
「営業活動に関するサービスのご挨拶を○○様あてにさせていただきたく……」

(b)「そういったお話は人事のほうにお願いしたいのですが……」
【返し】

「営業活動に関することですので、ぜひ○○様とお話しさせていただきたいのですが……」

(3) キーパーソン、担当者を説得する2つのトーク

(a)「んーそういう話は私じゃなくて、人事だなぁ……」
【返し】
　「たしかに、派遣などを導入してくださいというお話でしたら、やはり本来の人事などのご部署にご連絡させていただくのがスジですけれども……、今回は導入してくださいというお願いではなく、あくまで事例のご紹介をさせていただきたいだけでございまして……、失礼ですが、人事のご部署だと、各営業部様や事業部様の課題感などがおわかりになっていらっしゃらないことのほうが多いようですし……。
　各営業部（各事業部）ごとに取り扱っていらっしゃる商材や、営業戦略、営業課題って、違ってきますよね？（促す）
　まずは○○様からお聞かせ願える範囲で構いませんので、お話をうかがわせていただいたうえで、見合ったような事例をご紹介させていただきたいのですが」

(b)「人事のほうを通してくれているんだったら、会ってもいいよ」
【返し】
　「弊社、事務職派遣などでお世話になっているのですが……（もうすでに人事と繋がっているんだよー……と匂わせつつ）、かしこまりました。では、人事のほうに一度ご連絡させていただきまして、再度また、○○様にご連絡させていただきますので、どうぞよろしくお願いいたします」
　（人事には、「○○様と営業の話でお会いいたしますが、派遣の窓

口の人事の××様に一言、その旨のご報告」ということで連絡する。あくまで××様がYes／Noの判断をする話にしない)

④運を味方にするやり方

(1) 落としたい企業は、14営業日目にアプローチ

　もっとも攻め落としたい最重点顧客に関しては、最初にアプローチせずに、練習を重ね、板についてからアタックするのが、常套手段であるが、その目途は14営業日目とする場合が多い。

　もちろん熟練したプロなら、開始した次の日あたりにはすでにアタックを開始しているかもしれないが、14営業日目に設定するのは、あくまで新人や派遣社員を含んだ一般人の例、もしくはまったくの素人の場合である。

　1カ月後だとちょっと疲労気味になるため、スキル、マインドとも、ちょうど脂が乗り切る14営業日目が最適になるのである。

(2) ピンチはチャンス、決してあきらめるな

●曜日、時間を変え、断続的にコール実施

「営業は断られた時から始まる」という先人たちの格言ではないが、1度断られたくらいでその会社はニーズがないなどと早合点してはいけない。100件電話して3件のアポが取れるなら、その3件のアポのために97の断りが必要と考えるのが正しい。

　しかし、ただかけ続けるのでは歩留まりが悪いので、曜日、時間を変えつつ断続的に実施するのが、ポイントとなる。

　初回はすげなく断られたのに5回目にアポが取れ、会ってみたら意気投合して、公私を超えた仲になるというのはよくある話である。

● **トークのキーワードを変える**

トークのキーワードが相手に刺さっていないこともよくあるので、トークのキーワードを変えてみることも、アポ獲得率を高めるには非常に効果がある。

● **気持ちのモードを換える**

気持ちのモードというものは自己暗示によっていくらでも変わる。ハイテンションにスイッチを入れ換えようとするモードの切換えもあれば、売り込み型からヒアリング型に換えようという切り換えもある。

いやな気持ち、テンションが上がらない時には意識してスイッチの切り換えを行うとよい。

● **気分が乗っている時に再チャレンジ**

何度トライしても難攻不落で門が開かない企業は、溜めておいて、気分が乗っている時、アポが取れた直後に再チャレンジすると取りやすくなる。自分で"ノリノリの時にかけるリスト"を作成し、他と区別して取り組むと開拓できる確率が高くなる。

● **コール担当者を替える**

最終手段に等しいのだが、電話する人間が変わっただけで、いとも簡単にアポが取れたりする。

自ら行っていたアポ取りを、営業サポートの女性に替えただけで1年間とれなかったアポが取れたりするものだ。

(3) 社会の変化を読みとる感度を磨け

いったんうまくいったトークスクリプトは、何の疑いもなく長く使いたくなるのが人情であるが、そこは環境、社会、担当者も変わるため、受ける側の変化に対応したバージョンアップが不可欠になってくる。

たとえば、かつては、「じゃあ資料送っておいて」という言葉が断りなのか脈ありなのか非常にファジーな対応があったが、現在では、「じゃ、御社のホームページを拝見してから、興味があればこちらから連絡するよ」という対応へと進化している。
　これだとかつての切り返しトークが機能する場合と、機能しない場合とが出てくるのだ。
　そういった変化に適応するためには日常からうまくいったトークを記録、保存し、スクリプトを増やし、新しいスクリプトを試しながらトークを昇華させていく活動が重要になってくる。
　感度のいい人間は日々のやり取りの中で自分のトークが相手の芯を食っているか否か、空気を悟ることができるが、どの営業部隊でもそのような人材は多くても2割程度に過ぎない。
　やはり底上げのためには、こういった地道な作業の繰り返しがちょっとした差を作っていくものだと痛感している。

⑤こまやかな心遣いも重要な成功要因

　フォローコールとはどんな場面で実施すべきものなのか、ここで整理しておきたい。
　営業マン／ウーマンが個別に行う場合、テレマーケティング担当者がまとめて行う場合に分かれるが、通常はその企業との密着度やステータスによって役割分担するケースが多くなっている。

【目的】
　(1) お礼
　　　→セミナー参加、イベント参加、受注後のフォローなど
　(2) 進捗確認
　　　→稟議確認、予算確認、決裁日、導入後の使い勝手など

（3）ステータスアップ
　　→新規顧客なら現プロセスのステータスアップ（既存顧客なら取引額アップ）
（4）CS
　　→顧客満足度、クレームまでは至らないが、満足もしていない状況
（5）トップに対する表敬訪問
（6）ちょっとした心遣い
　　→誕生日や記念日のお祝いメールなど
（7）顧客接点密着、維持のこまめな電話やメール
（8）クレーム予知
　　→クレームではないが、満足していない状況のヒアリング

【フォローコール対象をステータスから選択】

　トークスクリプトのところで登場した図表Ⅱ-1をイメージしていただくとわかりやすいと思うが、営業マン／ウーマンが追いかけるのが非効率な際に、テレマーケティングの専門部隊に振る基準となるステータス例を示しておきたい。

（1）アポが取れずに×回以上断られたところ
（2）×回以上不在、離席中
（3）資料送付可否の可をもらったところ
　　→担当者の正式部署名、フルネームを堂々と聞ける
（4）セミナー・イベント後

　肝心なことは、ここでも営業マン／ウーマンとテレマーケティング担当者との個別なルールによる運用ではなく、部門全体の共通ルールでまわすことである。

Ⅲ

バイブル2

ヒアリングは「営業の肝」

1. 受注はアプローチ準備と ヒアリングで100％決まる

「営業の肝」というのはプレゼンテーションでもクロージングでもなく、実はヒアリングにある。

そのヒアリングにアプローチ準備を加えたところで、"受注できるか否か"が100％決まるといっても過言ではない。

つまり、法人営業力を短期間でアップさせたいなら、自身あるいはメンバーの"ヒアリング"だけに注力して修正することがもっとも合理的なのだ。

アメリカの心理学者バーナード・ワイナーは彼の「原因帰属モデル」の中で"人は何かを行って成功したり、失敗したりしたときに、その原因を、能力、努力、課題の難易度、運の4つに帰属させる"とした。

彼の主張は「能力」と「努力」は自分自身に関わる事柄で、「課題の難易度」と「運」は自分では動かすことができない事柄であるとし、さらに「能力」と「課題の難易度」は短期的には変化せず、「努力」と「運」はその時々で変化することから、「努力」の重要性を唱えた。"自分で変えられるものに原因を帰属させると改善の余地ができる"という彼の主張に、日本では、"では努力を尽くした場合はどうすべきなのか"という疑問が生じ、その際は"方略を変える"ということで収まっているそうだ。

幸いにして法人営業に関する限り、ヒアリングのスキルは短期間に変化（向上）するので、その努力さえしていただければ問題はない。

2. 開口一番相手が喜ぶ話題で心をつかめ

①座が盛り上がる３つのスモールトーク

　新規の場合、横展開や新任で初めて訪問する場合の名刺交換後のコミュニケーションのことをスモールトークと言う。

　また、ルートセールスにおいて既知の場合であっても、特別な場合や急ぎの場合を除いて、いきなり商談には入らないので、商談が始まるまでの雑談と称される会話もこの範疇に入る。

　よく「天気や気候の話題」がオーソドックスとする向きもあるが、もっと専門的に明示すると「**相手が喜ぶ話題を振る**」「**純粋な疑問を投げかける**」「**共通の話題を見つける**」という３つの視点から話題を考えるとよい。

「天気や気候の話題」は共通の話題の範疇に入り、汎用的に使える反面、商談のフックにはならないという欠点を持つので、次の展開の用意をしておきたい。

「相手が喜ぶ話題を振る」というのは、初対面でもルートセールスであっても双方の距離をグッと近づける効果がある。

　20年前の新人時代に私はまずここを徹底的に仕込まれたので、今でも体が自然に反応してしまう。

　その頃に競合会社２社から新規受注を上げるという離れ業を演じたが、ともに「相手が喜ぶ話題を振る」ことによって相手が胸襟を開いてくれたことがスタートラインだった。

「相手が喜ぶ話題」の肝は一般論ではなく、自分が気づいたことを自

分の言葉で表現することである。スマートである必要などまったくないし、多少ぎこちなくたって構わない。

　受付の対応が非常に温かかったと感じれば、その研修の方法を尋ねてもいいし、すれ違った社員の方の挨拶がハキハキして気持ちよかったら、その時に感じたままを話せばいいのである。
「なんかわざとらしい」とか「照れくさい」という気持ちもわかるが、そもそも営業という仕事はわざとらしいものなので、慣れてしまうことだ。
　それでも自分にはできないというのなら、「純粋な疑問を投げかける」ほうを選択すればよい。
　新人時代のこの体験で今でも鮮明に記憶しているのが、笹塚にある日本電波工業の社長室（だったと思うのだが）に掲げられたボロボロの日章旗である。次長との打ち合わせに空いていた社長室を使用したのだと思うのだが、「この日の丸は……」と尋ねたところ、社長が従軍時に瀕死の負傷兵から預けられたものだということで、いつか遺族の元に届けたいと願い、いつかその戦死者の名を知る者が現れることを祈りつつ掲げ続けていたのだそうだ。
「純粋な疑問」であればなんでもいいわけで、社名の由来や、会社のロゴマークの意味、創業のエピソード、新商品のコンセプトとかターゲットとか、何でも知りたいことを尋ねればいいのだ。
　この「純粋な疑問を投げかける」も前出の「相手が喜ぶ話題を振る」もその本質は"相手に対する関心"なのだ。
　新規、初対面の場合はとくに"私はあなたに対して関心と敬意を払っています"というメッセージをなおざりにし、いきなり商品説明やヒアリングに入るのは、挨拶なしに上がり込まれるに近い違和感を与えるものなのだ。新人、新任者にはこの機微からつかんでほしい。
　営業マン／ウーマンでなくても、私たち人間は古今東西、人とコミュニケーションを取るとき無意識に「共通の話題」を見つけようとする。

たとえば子供の頃のそれは、昨夜の「8時だョ！　全員集合」の話だったり、スーパーカー、ガンダムの話だったりする。共通の話題だからこそ会話が弾むというのは、子供の頃を振り返ると誰もが共通体験として持っていることだろう。
　同じことを大人になった今、行えばいいのだ。何も新しい体験ではなく、すでに物心ついた時から日々無意識的に行ってきたことだけに、違和感なく適応できるはずだ。
　「共通の話題を見つける」とは会話のやり取りの中から見出すケースもあれば、あらかじめ準備するケースもある。前者であれば：

「今日、寒くて営業大変だねぇ」
「ええ、でも普段からアウトドアにいそしんでいますから」
「そうなんだぁ」
「社長は何か、アウトドアされているのですか」
「結構、山に行っているんだよね、北アルプスがホームグラウンドなんだよ」
「本格的ですねぇ、北ですかぁ」

　といった流れで、どんどん会話が進展していく。
　後者の"準備していく時"はあらかじめ職員録などで相手の自宅や趣味などを調べておき、偶然を装って共通の話題を展開するのだ。
　出身地や出身校が同じだけで、ずいぶんと相手との距離感が縮まるし、ゴルフ好き、釣り好き同士なら話も盛り上がるというものだ。
　かつては、「野球と宗教の話はするな」という冗談なのか本気なのか微妙な暗黙のルールがあったが、今は携帯のストラップで贔屓(ひいき)なチームがわかるので、たとえば、同じタイガースファンなら、それだけで同志のような気持ちにもなれる。
　同じ商談を展開するにしても、いきなり商談を始める場合と、ひとしきりタイガースの話で盛り上がった後に商談に移る場合とでは、相

手の心証がまったく異なることは想像に難くないだろう。

②主導権はこちらで握れ

　スモールトークで盛り上がりがある、あるいは"つかみ"がうまくいけば流れるように本題に入れるが、盛り上がらない場合は角度を変えて仕切りなおすのが基本となる。

　ただし相手が本題に入りたがっている場合には、訪問の目的を伝え、商談に入るのが得策だ。そのへんの空気、雰囲気は読んでほしいが、たとえ読み違えたとしても、「今日のご用件は……」と相手が水を向けてくれるものだ。

　こうなると完全に主導権が相手に移ってしまうので、「今日のご用件は……」と冷たく尋ねられた時には、「（ちょっと困惑したふりをして）あっ、申し訳ございません、実は当社のソリューションのご案内をお持ちしたのですが、その前に御社の理解をさらに深めるために、二、三おうかがいしたいと思いまして……」という流れで雰囲気と主導権を取り戻すことができる。

　いずれにしても、スモールトークから本論への展開の場面では訪問の目的を明確にすることによって、メリハリのある面談になる。

③顧客自身のネタなら話が弾む

　本題へとスムーズに入っていくためには、やはり自社ネタに勝るものはない。

　自社ネタというのは、相手企業もしくは顧客の商品やサービスに関すること、CM、スポーツ、社員、受付など基本的には何でもよい。知人や同級生がいるなら、「私、企画課長の山田氏と同期なのですが、

彼、ちゃんと仕事してますか？」でもいいのだ。

　しかし、ソリューションや採用企画など付加価値の高いものの営業の場合は、社史・沿革の中で創業のエピソードは押さえておきたい。

　これはコンサルティングファームなどが若手を育てる際にも用いる手法なのだが、社史沿革を徹底的に分析するのだ。

　深く分析するだけでなく、その分析フレームでもって広く浅く多くの会社についてイメージをつけていく。一人で推測するだけでなく、他とそのイマジネーションを交換・ディスカッションすることにより、短期間に驚くほど多くの企業の風土やありようについての知識が増えていく。

　ひとつ例を挙げておくと、日立製作所は言わずと知れた日本最大の総合電気企業であるが、実は個人の大志から生まれた企業なのだ。

　キーワードをひとつ挙げれば"国産"であり、それはトヨタ自動車にも通じるところがある。

　実際に日立を訪ねる前の私の知識は、"ドイツ製の発電モーターの保守をしていた技術者が、どうしても国産でモーターを開発したいという進取の精神の下に創業"という程度のものであった。しかもこれはリクルートの先輩から聞かされた受け売りのものだ。

　しかし、日立の総合経営研修所を訪れた時に、何気なく飾られた額縁から真相を知ることになる。

　その額は「猿橋の旅宿にて」という書き出しで日立製作所史内の寄稿を焼き物の額にしたもので、創業者小平浪平氏の電気機械製作事業創業の想いを大学同窓であった渋沢元治氏（後の名古屋大学学長）が回想した寄稿だ。

　そこからはまさに、小平氏の進取の精神がライブで伝わってくるようで、それからの社史・沿革に話が弾むのは当然のことであった。

④他社の成功・失敗事例は効果抜群

　他社事例をフックに用いる場合も少なくない。これは自社の知名度が高くなかったり、その分野に関しての実績が認知されていなかったりする場合に有効になる。
　さらに技術畑やサービス部門の出身で営業職に異動となり、気の利いたスモールトークなどできないという営業マン／ウーマンにはうってつけの方法だ。
　そんなケースでは他社事例をA4用紙1枚にツール化しておくと、話下手を補完し、さらに一人歩きしてくれるので便利に使える。
　いったん相手のツボにはまれば、質問に応じるだけで商談の場が保たれるだけでなく、案件化し受注にもつながるだけに有効な方法といえる。
　ただし、この手法は普段から個人的にも組織的にも成功事例、失敗事例の蓄積と共有が不可欠になってくる。
　コンプライアンスが一般化するはるかに前から、実社名では守秘義務に触れることから仮称で展開されることが多かったが、口頭では実名を連想させることも差し障りがない範囲で行われてきた。
　肝心なのはその社名よりも、成功にしても失敗にしてもその要因を明確にし、相手に理解してもらうことなので、業種と規模が把握できれば、実名にこだわる必要はない。
　事例の数に関しては多いに越したことはないが、使用する場面では最初に2、3例のさわりを振って、興味を示した1例に絞って深く話すことが多い。

3. 相手の課題を聞き出す極意

　ヒアリングシートに関してはⅡ章の5③「有効なヒアリングシートの作り方」で述べたが、ここでは実際に顧客を訪問した場面でのヒアリング強化のポイントについて紹介することにする。

①相手を知る
——業界ごとの特性、現状を把握する

　ヒアリングの本質は、相手が現在抱えている課題を気持ちよく話してくれる環境をつくることにある。
　こちらが聞きたいことを一方的に尋ねるのは"Hearing"ではなく"Asking"であることさえつかめれば、ヒアリングスキルは向上する。
　ヒアリングのスキルを短期間に組織的に向上させる方法がひとつだけある。相手を知ることである。
　実はその時々の経済環境のなかで、業界ごとの状況や課題というものはほとんど共通している。その業界のすべての企業が業界トップの動きに注目しているのも同じだ。
　そして業界といわれるものは営業的には三十数種類に集約されるので、一つひとつの業界を分析するのは容易なことである。
　客観的に分析するのもいいが、ヒアリング用に分析するというのは、自社の商品、サービスを訴求するにあたって、この業界にどのような課題があるかをあぶりだすことである。
　さらに言えば、「○○業界の××部門では……」という具合に事業

部、部門別の課題までブレイクダウンするほうが最終的な成果は高くなる。

営業が強いとされる企業は通常、このようなデータが共用で使えるように整備されていたり、営業マニュアルで結構なページを割いて解説してあるものだが、もっと大切なのは、それらを用いて日常的に勉強会を開催していることだ。

社内講師や社外講師を招いた業界勉強会というものに参加したことはないだろうか。この手のナレッジはマニュアルより研修、研修より日常の勉強会のほうが効果が上がるものなので、注意したい。

年に１～２度の実施では少ない。適切な回数はその部門で一番経験の浅い人間が業界について語れるようになるのがひとつの目途となる。業界の事情、企業の状況から事前に仮説をたてて課題を推測しておけば、相手は違和感なく、状況を話すことを促されるものなのだ。

<u>人は素人に現状を語ることはしない。</u>その本質をふまえた準備を行えば、これまでロスしてきた案件化が補えるため、受注率が一定でも母数が増える分だけ、受注金額が多くなる。

②場の空気を読み、臨機応変に対応

最近は「A氏は空気が読めないところがあって……」などという言葉がよく使われるようになったが、空気が読めないということはコンテクストが読めないことを意味する。

営業場面でも、先方から依頼されて赴く以外は、ヒアリングしたい内容は"尋ねれば答えてくれる"というものではない。このニュアンスを取り違える営業マン／ウーマンが増えていることは確かだ。

「コンテクスト」とは日本語に訳すと「文脈」とか「行間」とかになるが、ここでは「聞き方＋言外の意味を汲み取る力」と解釈していただいても構わない。つまりコンテンツとコンテクストとは、聞く内容

と聞き方なのだ。

聞き方とはコミュニケーションの様式であり、単純に質問する以外にも、示唆したり、指摘したり、共感したり、説明したり、あえて間をつくるために沈黙したりという様式がある。

空気が読めないというのには2種類あって、本当に空気が読めないケースと、コミュニケーションのバリエーションが乏しいケースとがある。

通常、採用の面談によって前者ははねられることが多いので、営業場面では後者のほうが多いことになる。

たとえばSFAのソリューションを営業企画部門に営業に行ったとする。「御社は現在、営業マネジメントでどのような課題をお持ちでしょうか」と尋ねて、相手が答えてくれる場合は信頼関係が成立している場合である。

その信頼関係を担保しているのは、会社の看板であったり、自分が持っている資格であったり、会社同士の付き合いの長さだったりする。

つまり自社が超有力企業だったり、自身が公認会計士の資格やMBAを持っていたりすれば、お手並み拝見ラウンドなしに商談のテーブルに着くことができる。

ただしあくまでテーブルに着くまでで、ひとたび期待に応えられないと判断されるや否や、シード権はなくなる。

こういったシード権やお墨付きがない場合のほうが普通なのだが、その場合はスモールトークから本論へ入る際の呼び水として、示唆的な質問が効果的だ。

先の例で紹介すると、「弊社のお客様や営業先でみなさんおっしゃるのが、『SFAを導入したものの、営業マンに何のメリットもなくて、入力しなくなってしまった……』とか、『営業マンはPCで入力するのが面倒で、マネージャーは読むのが面倒で……』とか消極的な意見も多いのですが、御社はSFAに関して何か課題に感じていらっしゃることってございますか」というのが初級者、上級者とも用いられる

スタンダードなところだ。

　重要なことは、人は現在利用しているもの、ましてや自らが指揮して導入したものの問題点を指摘されることを嫌うものだし、自分の意思決定を正当化したいと思うのが真理ということだ。

　したがって先のフレーズで、そのへんの共感のニュアンスを出しておきたい。つまり、「消極的な意見が多いですが」ではNGで、「消極的な意見も多いですが」になる。

　中級者以上への要望になるが、ヒアリングの大前提として、当方が提案するために、現状の問題点や、営業の業務フローや具体個別性（特殊性）、現場の営業マン／ウーマンが抱えている課題、営業マネージャーが抱えている課題や、営業企画部門として理想とするSFAの姿を聞きたいというスタンスで臨みたい。

　つまり主導権を取り、提案し、良ければ採用するという同意を前提にしたヒアリングを行いたいのだ。

　案件化数の割に受注率が低い要因は、こちらが半ば強引に提案させてくださいというスタンスで臨み、薄っぺらなヒアリングをして、中途半端な提案をしてしまうことに起因することも少なくない。

　そうしないためには、スモールトークから本論への導入、冒頭のヒアリングの時点で相手にプラスの兆しを感じさせることが必要になる。

　ヒアリングしたい項目が10を越えているとしても、最初の2〜3番目までのヒアリング項目で相手はすでに兆しの有無を評価しているので、ヒアリング項目は内容を絞り込んで、前半で勝負することを心がけるほうがよい。いったん相手が提案を望めば、詳細にまで踏み込んで教えてくれるものだ。

4. 無関心、ネガティブな相手への対応策

　きちんとアポイントを取って営業に行ったにもかかわらず、無関心な対応をされたり、ネガティブな対応をされたりすることも少なくない。

　最初にそのように対処されたからといって、「ニーズがなかった」「取り付く島がない」とあきらめてしまうのは最悪の対応と言わざるを得ない。ややこしいのが、無関心な反応もネガティブな反応もその「消極的反応」の裏にある真意が数種類に分かれることだ。

①課題解決に意欲的な上位役職者に会う

　顧客の無関心、ネガティブな反応の要因は下記が代表的なところである。

(1) 話を聞くだけ
(2) 他でやっている、決まっているところがある
(3) 他で採用したいものがある
(4) 新しく入れたばかり
(5) 忙しくて検討できない
(6) 予算がない
(7) 課題を感じない
(8) 課題はあるが他に優先すべき課題がある
(9) 検討事案として下りてきていない

(10) 今の状況を変えたくない

　それぞれの反応への対処であるが、これは自社の風土や営業本部長のスタンスに大きく左右されるので、一概には言えないが、Ⅱ章の「5　受注に成功する営業のツールとトークを準備」の「⑤役に立つ切り返しトーク集の作り方」などを参考にしていただければと思う。
　営業力が強いとされる企業の方法論は共通しているが、それは最初から上記のような無関心な反応、ネガティブな対応を想定し、もっともその確率が低くて責任のある立場の役職の人間に最初からアプローチすることである。
　さらには営業マン個人の対応、マネージャーを含めた課、チーム、グループといった営業ユニットでの対応、そして営業部門として組織的な対応とそれぞれエスカレーションした方策が準備されている。
　こういったケースの対処の方法をシンプルに考えると、要は相手のスタンスが変わるか、相手自体が替わって他の人間にならない限り受注はない。
　そこで自社の風土や営業本部長のスタンスが登場するのだが、それ次第で「鳴かぬなら　殺してしまえ　ホトトギス」「鳴くまで待とうホトトギス」「鳴かせてみせよう　ホトトギス」以上の違いになる。
　さすがにルートセールスで先方の担当者をすっ飛ばすことは難しいが、そこは各社上司を上手く利用しながら、組織的に対処していることが多い。新規なら、担当者を見切ったら、堂々とその上司なり担当役員に仕切りなおしをするべきだ。
　ただし担当者や課長職を飛ばす場合の対処のキーワードは"メンツ"なので、飛ばされる側の"メンツ"が立つ方策を同時に講じないと"出入り禁止"になるから十分注意していただきたい。
　どうせ受注がないなら、"出入り禁止"になる確率があっても攻めるか、傷つくのを恐れてそのまま静観するかは営業の指揮官の判断によるところが大きい。

②商談を見極めるタイミング

　こちら側の営業マン／ウーマンのレベルにもよるが、どのタイミングで"先に進まない"と見極めるべきだろうか。

　営業マン／ウーマンのレベルといってしまうと非常に属人的なものになってしまうし、個人の直感任せだと非常にバラツキが大きくなってしまう。

　そこで、ここは組織として共通の尺度を設けて、組織的な対応をすると機会ロスを減少させることができる。その尺度の一例を挙げておく。

（1）「課題の話」を繰り返しても課題を共有できない

　課題共有にかける時間は最大で1時間。想定される課題を投げかけて、課題を芯に据えたコミュニケーションを繰り返しても、課題が共有できない場合。

　もちろん、先に触れたように「課題はなんですか」では相手は答えにくいというか、何を答えていいかわからないので、そのようなヒアリングではなく、適切な聞き方でという前提の話である。

（2）3カ月以上決裁者に会わせてもらえない

「弊社の部長の大橋が御社の一ノ宮本部長にご挨拶いたしたいと申しておりまして……」「承知いたしました、申し伝えます」というような会話がなされ、途中プッシュを繰り返し、3カ月以上が経過した場合は要注意だ。

（3）提案の回答を1カ月以上保留し続ける

　提案したにもかかわらず、白黒の判断が1カ月以上ない場合も注意が必要だ。提案自体が当て馬だったのか、営業が強引に提案を申し出

て担当者が断りきれなかったのか、担当者が情報収集のために提案を依頼したのか、その種類は多彩であるが、いずれにしても1カ月以上回答を保留し続けるのは尋常ではないので、組織的に白黒をつける必要がある。

　機会ロスを最小限に抑えるコツは、このような顧客を営業マン／ウーマン任せにせず、営業本部の意思として、対処策を共有しておくことである。

③課題感のない企業は、機が熟すまでテレマフォロー部隊に移す

　担当、課長職あたりで課題感がない場合はともかく、部長職に課題感のない企業は営業マン／ウーマンが担当しても手付かずのまま放り投げてしまう場合がほとんどなので、フォロー専門部隊に預けてしまったほうが、受注につながることが多い。

　いったん「1年以内の受注はない」と見極めた企業はフォロー部隊に任せ、機が熟すのを待ったほうが、営業マン／ウーマンとしても、優先順位の高い案件に集中できる。テレマフォロー部隊が定期的にフォローし、先方の状況の変化を見逃さない対応が取れればタイミングを逸することはない。

　実際にまったく脈なしと思われた企業だったのに、1カ月後には専務特命プロジェクトが発足し、担当者から電話があって大型受注といったケースも、みなさんも経験があるのではなかろうか。担当が替わったり、経営方針が変わったり、役員の鶴の一声でどんでん返しになる場合も少なくないので、定期的な接触は不可欠なのである。

5. ヒアリング後、受注につなげる秘訣

①受注までのシミュレーションをする

　ヒアリング後にまず行うべきことは、受注までの商談シミュレーションである。

　提案をするにあたっての不足事項の有無を確認し、不足事項がある場合は迅速に入手しなくてはならない。

　同時にヒアリング内容の仕分けを課題軸、商品軸、業務内容の3点から行っておくと、手際よく整理できる。

　課題軸は経営課題と現場の課題に分け、商品軸は現在使用しているものの使い勝手、評価を分類しておきたい。

　そのうえで楽観的シナリオ、悲観的シナリオの双方のシミュレーションを行うことによって、受注までの確かな筋道が描きやすい。

　ヒアリングの時点で案件化すれば幸いだが、ニーズがあったからといってすぐに案件化するとは限らない。

　継続したアプローチが必要な場合のほうがはるかに多いものだが、その際には、まずは突破口を探り、見極め、そこに営業リソースを集中して成果につなげたい。

②受注確度を評価し、打つ手を決める

　ヒアリングの後は当然その企業、案件の受注確度の評価をしなくて

はならない。

　期内の受注確度が90％以上ならAヨミ、70％以上ならBヨミ、50％以上ならCヨミ、受注確度までは読めないがニーズがあればタマというヨミに慣れてしまっているが、そういった受注を前提としたヨミを構成する要素にステータス（確度）という概念がある。

　ヨミというのは総合ステータスなので、受注確度が50％以上にならないと機能しないが、その総合ステータスを形成する個々のステータスをフォローすることにより、ステータスアップの次の一手が明確になる。

　総合ステータスであるヨミは放っておくと個人の主観ゆえ、ヨミの甘いA君、ヨミの辛（から）いB君といった具合になるので、管理するマネージャーは計画数字の進捗（しんちょく）に、A君の報告は八掛け、B君の報告は1.5倍とか、A君のステータスはひとつずつ下げて、B君の場合は逆にひとつずつ上げて……などとややこしいことになっている。

　できるだけ主観を排除し、客観的にステータスを決めたい場合には、客観5指標（図表Ⅲ-1）がよく用いられる。

　これは、顧客の課題、ニーズ、解決策、予算、タイミング（時期）のステータスと把握状況を掛け合わせることによって総合ステータスを積算しようというものだ。

　これならステータスアップのためには何を明らかにすればいいかがはっきりしているので、営業マネジメント上も威力を発揮する。

（図表Ⅲ－1）顧客購入確度を決める5つのステータス例

企業名	顧客の課題	ステータス	ニーズ	解決策	ステータス	予算	時期	総合ステータス
い	ランニングコスト	A	A	新規購入	決定	500	4月	A
ろ	イニシャルコスト	B	B	コスト見合い	他社検討中	未定	未定	C
は	生産性アップ	A	A	一部入れ替え	検討中	200	すぐ	A
に	人件費削減	B	C	一部入れ替え	未定	未定	未定	C
ほ	経費削減	C	C	一部入れ替え	未定	未定	未定	C
へ	省エネ対策	C	C	新規購入	未定	未定	未定	C
と	経営方針	C	C	一部入れ替え	未定	未定	未定	C

無断複写・配布・転載はできません

6. リードゲット（見込客発掘）のための成功法則

①ミッションを明確にする

　ミッションシート（図表Ⅲ-2）は、社員や事業部がどのような方向に進もうとしていて、そのために具体的な活動指標は何なのかを明確にしたものである。

　営業現場で悩んでいる営業マン／ウーマンは、「何のためにこの業務をしなければならないのか」といった悩みや疑問を抱くことがある。

　このような悩みを持たせないためにも、「自分がなぜこの業務を行っているのか」「結果として得られる成果は何か」「それは、自分の評価にどう結びついてくるのか」を理解させることが大切である。

　ただ売上げを上げるために、「これをしなさい」「あれは終わったのか」とハッパをかけても、営業マン／ウーマンはモチベーションを維持することができない。その解決のためにもミッションシートは非常に重要な役割を果たすのだ。

【半年間受注をとれなかった私の経験】

　私（井坂）も過去にそのような経験をしたことがある。リクルート入社当時、毎日100枚の自分の名刺を用意して飛び込み営業を行っていた。マネージャーからは、「帰りには、お客様の名刺を100枚もらってくるように」と言われていたからである。

　最初の1カ月は何の迷いもなく毎日飛び込み営業に出かけていたが、入社から2カ月、3カ月と経つにつれて、初受注を上げる同期の

新人が出てきた。当然、自分の中には焦りも出てくる。「本当にこんな飛び込み営業をしていてよいのだろうか」という疑問を頭の中でよぎらせながら営業活動に勤しんだ。

その疑問が現実に現れ始めたのは、入社後半年ほど経ってからのことだった。入社した同期がどんどん辞めていくのだ。理由は、「こんなことをするためにリクルートに入ったわけではない」と。

来る日も来る日も、飛び込み営業が続いた。集めた名刺は、優に5000枚を超えた。それなのに受注が上がらない。とてもモチベーションの維持などできない状態なのだ。

当時のリクルートは、体育会系を中心に採用活動を行っており、たくさんの企業に対してローラー作戦で営業案内をしていくという戦略をとっていた。それを実践するのが新入社員の役割だったのだ。

そして、多くの企業に対して訪問し、顔を覚えていただけると、何かあった時に電話がもらえる。そんなリレーションシップを大切にしていたのだ。

事実、この飛び込み時代を何とかこなし、多くの企業とのパイプ作りに成功した私は、その後、幾度となく年間MVPをいただくことになる。

当時を振り返って思うのは、リクルートの「企業に対してローラーをかける営業戦略」→「その理由」→「多くの企業とのリレーションづくりが受注の近道」→「ゆえに飛び込み営業を行い、行動量を担保することが大切」といったミッションの一連の流れさえ理解できていれば、"あんなに悩まずに済んだのに"ということだ。そして、同期との別れもこれほど多くなかったはずである。

当時、ミッションシートが同社で活用されていれば、多くの社員が仕事を本質から理解することができたはずであるし、加えて：

- お客様に対してどんなことを聞けばよいのか
- お客様に何をご案内すればよいのか

（図表Ⅲ－2）ミッションシート

_____ 年 _____ 月 _____ 日

1. 導入の目的・背景

1.導入の背景

2.活用の目的

2. 与件整理

1.対象商品の整理

①対象商品・サービス名

②商品・サービスのコンセプト/特徴

③ベネフィット

④強み/弱み

（弱み）

2.マーケット/競合情報の整理

①今後の戦略と展望

②競合について

名称	（競合社名①）	（競合社名②）	（競合社名③）
特徴			
強み			
弱み			
価格			
その他			

③ターゲットについて

■対象顧客

対象部署	
役職など	
業種	
企業規模	
エリア	

■リスト

総数	: _____ 件
企業情報	: ある　　ない
担当者情報	: ある　　ない
リスト作成	: ハウス　　他社

※他社の場合の社名 _____

■想定理由

なぜ上記のターゲットを想定しているのか？

■従業員数ごとのリスト数

〇〇人以上
〇〇〜〇〇人
〇〇〜〇〇人

リスト件数
_____ 件
_____ 件
_____ 件

4. ミッションの設定

無断複写・配布・転載はできません

- 商品案内だけでよいのか
- ライバル商品とは、どんな差別化ができるのか
- 自社商品の強み弱みは何なのか

などがもっと明確になっていたら、飛び込み営業に対する意識や姿勢も変わっていたはずだ。

【ミッションシートを活用すれば方向性が見えてくる】

ミッションシートは、「事業戦略（どんな方向に進もうとしているのか）」「営業現場の目標（売上げ・活動）」「取扱商品やサービスのベネフィット」「競合他社との比較」「営業対象企業（ターゲットリスト）」等を1枚のシートでいつでも確認できる重宝なものである。

部門の全社員がミッションを理解したうえで、具体的な個人のアクションプランを立てる。そして、そのアクションプランの進捗管理を行う。

プラン通りの進捗が行われていない場合、その多くは自分のミッションが不明瞭になっていることが多い。そこで、あらためてミッションの確認と具体的な活動内容の見直しを行い、リセットをかける。

この繰り返しにおいて、ミッションシートは、いわば部門や個人のコミットメント的な役割も果たし、軌道修正のヒントを気づかせてくれるツールにもなり得る。

では、ミッションシートの作成にあたっては、どのような点に注意すればよいのだろうか。

大きなポイントは2つある。1つめはモチベーションマネジメント、そして2つめはプロセスマネジメントである。この2つを組み合わせて設定するのである。

もちろん数字の目標も大切だが、営業活動を実施するにあたり、営業プロセスにある課題をどう解決するのか、その場合の社員のモチベーションや動機づけを、何に結びつければよいのかという点が重要か

つ本質的なミッションとなる。
　ここで営業マン／ウーマンの目標を、単純な数字の成果だけに向けさせないようにすることが大切である。
　さらに数値目標も、他の営業社員のアポ率・商談化率・受注率等をヒアリングし、現実味のある数字を握るのが大切である。
　そして、受注を上げるまでの営業活動のプロセスを具体的に可視化し、プロセス目標を設定することが重要である。

【目標は1日70コールで1件のアポ獲得】

　プロセス目標設定の一例を挙げる。帝国データバンクや東京商工リサーチなどで市販されているリストを活用して新規のアポイントを取る場合のアポイント率は、一般的に3〜5%といわれている（もちろん、商材やターゲットによってアポイント率は変動する）。
　一人の営業マン／ウーマンが、訪問活動をしながら1カ月にクリーニングできるリスト数を500件とする。電話をかけて担当者につながるまでに平均2.7コールを必要とすると、500×2.7コールで1350コールを担保しないと500件のリスト精査が終わらない計算になる。1350÷20営業日で1日67.5コール必要となる。
　この行動量を担保して、初めて500件の3〜5%の15〜25件のアポイントが獲得できる計算になる。結果、プロセス目標設定は
　①コール件数目標：70コール／1日
　②アポイント獲得目標：0.75〜1件／1日となる。
　このようなプロセスを経て、訪問した企業先から課題やニーズが吸い上げられ、課題解決に向けた提案や見積もり提出があり、受注へとつながるわけだ。
　もし、成績を上げられない営業マン／ウーマンがいるとすれば、その営業マン／ウーマンの営業業務プロセスを徹底的に見直し、どこに課題があるのかを明確にしたほうがよい。
　アプローチ段階で行動量が担保できていないのか、商品の案内を中

心に行っていて顧客ニーズを発掘できていないのか、提案力が弱いのか、最後の一言「やりましょう」が言えないのか等々。

営業マン／ウーマンの課題が明確になれば、次の一手が明確になっていく。あらためてアクションプランを見直し、身近なプロセス目標から追わせ、達成ごとに「誉めていく」。誉められることによって営業マン／ウーマンは自信を持ち、実力をつけていくのである。

企業においては、往々にして高い売上目標を期待する上司が多いのだが、ミッションシートを活用し、営業マンの動機づけから商材の市場価値、今後の戦略・展開とあわせて、冷静に見極め、適切な目標設定をしていくことが、営業活動の入り口と言えよう。

【ミッションシート各項目の記入ポイント】

■与件整理（対象商品の整理）

与件整理は、営業業務を行ううえでベースとなるものである。とくに、商品やサービスの内容を正確に把握することは、お客様にご案内をしていくうえで、もっとも重要なことであり、新人教育や若手の研修にも活用できる内容である。以下に、どのように与件整理をしていったらよいかを説明する。

【事例】

営業のアウトソーシングを受注すると、最初に与件整理のためのブレーンストーミングを行う。

参加者は、お客様側の営業責任者・営業担当者、場合によっては商品企画、経営企画部門など。当方からは、営業担当、アウトソーシングの運用責任者、プロジェクトとしてメンバーを管理するプロジェクトマネージャー、マーケティングデザイナーなどが参加する。

マーケティングデザイナーは、営業業務の内容をお聞きし、アウトソーシング部隊の営業業務を設計する役割だ。

実際に3時間くらいのブレーンストーミングを2～3回程度実施する。内容は、以下の通りである。

（1）普段ご案内している商品パンフレットやサービス案内等をすべて集める
（2）その中から対象商品やサービスの特徴を箇条書きで書き出すKJ法（川喜田二郎氏〈元東京工業大学教授〉が考案した創造性開発法）を使って、一項目を1枚のカードに記入する
（3）その内容を強みと弱みに分類する
（4）商品やサービスを販売してきたお客様の困りごと（お客様の課題）があったかを参加者全員で話し合うとともに、KJ法を活用してカードに記入する
（5）自社商品やサービスの特徴及びお客様の課題抽出が終了。お客様の課題解決案を考えながら、該当する自社商品やサービスの特徴とお客様の課題をつなげていく

　このようなブレーンストーミングを実施し、与件整理を行っていく。
　余談であるが、私（井坂）は、この3年間で上場企業約180社の営業活動をお手伝いしてきた。
　ほとんどの営業部では、商品パンフレットや売るための営業マニュアル等がきちんと用意されていた。しかし、お客様の課題を整理している企業は、非常に少なかったように思える。
　お客様の課題と自社製品の特徴が結びついたものは、自社製品のベネフィットといえるだろう。これらが結びつかない事案は、自社製品の改善、または、新しい属性のお客様の発掘が必要となる。
　与件整理は、「自社製品のベネフィット」「強み・弱み」を箇条書きでまとめる方法で行えば、お客様に説明する場合でも、絞り込まれた内容であるため、的を射た説明が容易である。また、このベネフィットを抜き出したトークスクリプトを作成するとよいだろう。

電話では、短い時間に要件を的確に相手に伝える必要がある。この場面で、この絞り込まれたベネフィットは、とくにアポイント取得に役に立つこととなる。

もちろん、お客様の課題解決にもつながっている強みであるため、お客様へのヒアリング時の質問項目としても十分に活用できる。

また、競争優位性が非常に弱い商材に関しては、きちんと当該マーケット内におけるポジショニングと発展性を確認することができるため、過度に難易度の高いミッション・目標を営業マンに課す前に、商品戦略や営業戦略の見直しの必要性を把握することが可能となる。

■与件整理（マーケット・競合情報の整理）

競合については、「競合商材の強み・弱み」を整理し、表にする。競合研究をすることで、業界知識・トレンドの理解も深まる。

同時に（商品やサービスの内容による違いはあるが）、おおむね以下の組み合わせに従ったターゲティングを行う。

(1) 業種、(2) 業界、(3) 従業員数、(4) 所在地、(5) 売上高、(6) 利益率、(7) 評価点、(8) 過去の販売実績（自社製品の販売先の傾向から）

とくに新規営業を行う場合は、ターゲティングは絶対に必要不可欠な内容である。

いつものようにお客様からまとまったリストを渡され、アポイント取りを実施したものの、まったくアポイントを取りつけることができなかった。何かおかしいので、リストについておうかがいすると、自社他部門の取引先リストということであり、商品の内容やお客様の属性もまったく違ったものだったのだ。

ミッションシートと訪問時のお客様カルテを一緒にしたいと希望される営業部もあった。

そんな時には、簡易ヒアリングシートをミッションシートに追加するとよいだろう。お客様に聞くべき内容をあらかじめまとめておき、ヒアリングシートに可視化するのだ。

たとえばこのヒアリング項目の設定例はこんな具合だ：

(1) お客様の使っている製品・サービスのあぶり出し
(2) 想定される課題のあぶり出し
(3) 変える意思の有無、強弱
(4) 決裁者は誰か
(5) 導入するとしたらいつ頃か

②アポまでいかなかった案件も記録する

ミッションシートの目標設定時にも触れたが、ここでは、プロセス目標としての例を挙げておこう。

とくにテレマーケティングにおける目標は、アポイント件数となる場合が多い。しかし、アポイント率が3〜5％とすると、アポイントが取れなかった企業（残りの95〜97％）へのアプローチは不明確になってしまう。なかには、「資料送付をしておしまい」という企業も多いだろう。いわゆる資料の送りっぱなし状態だ。

また、アポイントの獲得時におけるニーズ等の確度によっても、訪問時に話す内容が大きく変わってくる。

以上のような点に鑑みると、以下のプロセス目標を立て、対象リストすべてに対するスクリーニングを行うことが商談化率を上げるコツといえる。

- 電話件数/1日
- キーマンリサーチの数（対象としている担当者）

- ヒアリング件数
- 資料送付の数
- アポイントの数と内容
    Aアポ：ヒアリングができて、ひとつ以上課題が把握できた
    Bアポ：ヒアリングのみで課題感をつかめない
    Cアポ：ヒアリングも課題感もつかめていない
    Dアポ：ご挨拶・名刺交換程度
    Eアポ：資料等のお届け
- アポを計数化しキャンペーン（キャンペーン商品の大陳）

③個人目標成果表の作成で課題がわかる

　個人目標成果表は、営業成績を競わせるものではない。営業業務のプロセスを明確にし、数値化することにより、成果を出していく法則を見つけることが第一義なのである。

	コール件数	受付拒否	担当者拒否	アポ獲得件数
営業担当A君	60件/1日	45件/1日	15件/1日	0件/1日
営業担当B君	20件/1日	12件/1日	5件/1日	3件/1日
営業担当C君	50件/1日	15件/1日	33件/1日	2件/1日

　たとえばA君は、大手流通業界の購買担当者にアポイントを取るべくテレマーケティングを行ったが、いっこうにアポイントが取れないとする。
　1日あたりのコール件数は、一番多い。どうやら行動量に問題はなさそうだ。しかし、受付拒否が45件とコール件数の75％も占めているのは、大手にアプローチしているがゆえに受付で断られているということが推測できる。受付突破のための切返しトークをロープレなどで訓練する必要性が見えてくる。

B君は、コール件数は20件と少ないが確実にアポイントを3件取得している。

　B君は、従業員300〜500人のIT業界を中心にテレマーケティングを実施。20件電話をして3件アポイントが獲得できているので、アポ率15％と3人の中ではダントツである。改善点としては、コール件数をアップさせることにより、アポ獲得件数を量産するか、アポイントの確度を再度見直してみることだ。

　C君は、従業員数100人未満の企業をターゲットにアポ取り電話を行った。受付は比較的突破でき、33人の担当者と話ができている。しかし、担当者から断られアポイントにつながっていない。商品の案内ばかりしてしまい押し売り気味になっているのか、ニーズをヒアリングしても対象外の企業だったのかもしれない。

　担当者に対して聞く姿勢、コミュニケーションのとり方などをロープレで実践してみるか、ターゲットの属性を変えてみるとアポ件数も増加すると思われる。

　テレマーケティングのアポイント獲得1つとっても、これだけのプロセスがあり、いろいろな課題が潜んでいることがわかる。個人別に営業の履歴を残し、これを進捗管理することによって、個別の課題（課題箇所）と解決するための方法を明確に指示することが可能となる。同様に以下の指標も最適な営業プロセスの発見を助けてくれる。

指標（目標）例
　（1）1日の総コール目標—実績
　（2）アポ獲得目標—実績
　（3）アポ獲得率
　（4）商談化率
　（5）受注率

④進捗ダービー表で気分を盛り上げる

　テレマーケティングを行っていると、だんだんマンネリ化してくる。「1日60コールすればおしまい」「アポを何件か獲得できれば、それだけで安心」といった具合にだ。逆にアポイントが全然取れないと、相当なプレッシャーになることもある。
　訪問を中心に行っている営業マン／ウーマンもそうであるが、成果が目に見えないと徐々にモチベーションが低下してくる。そんな時に模造紙で成果がわかる進捗表を作って、営業マン／ウーマンやテレマーケティングスタッフに刺激を与える工夫が必要となる。
　進捗表というと、成績などを記入した棒グラフなどが連想されることだろう。
　しかしそれでは、売れている営業マン／ウーマンにとっては心地よいものだが、売れていない営業マン／ウーマンからするとプレッシャーにしかならない。やがてモチベーションも低下し、営業戦線から離脱……などということもありうる話だ。
　そこで進捗表は、「オープンボード」という名前にして、自分たちの成果を自分たちで楽しむもの、そして、他のチームがどんな成果を出しているのかを確認したりするもの、という位置づけで作成すると効果的だ。
　「オープンボード」は、チームごとに作成し、一定の目標を掲げてカウントダウンするようなものや、1件アポイントを獲得するごとにシールを1枚貼るなど、各々に工夫をこらしたものとする。オープンボードは、成果を書き込んだりシールを貼ったりするなどゲーム感覚で楽しみながら、進捗確認ができる"魔法のボード"なのだ。
　オープンボードで示す目標は、売上数字ばかりではない。営業プロセス上の目標は、たくさんある。その一つひとつの目標達成の積み重ねにより、受注が上がるのだ。

（図表Ⅲ-3）オープンボード

　そこでコール数やアポイント数・訪問数・提案数・見積もり提出数などをオープンボードに張り出す。そして、目標達成時の自分たちへのご褒美を決めて、一番上に張り出してみる。

　自身の新人当時は、各課で3カ月目標を達成すると、ミニGIB（Goal In Bonus）が与えられたが、これは、目標を達成した課は全員で小旅行に行けるというものであった。この旅行は、達成した喜びや、やりきった満足感を全員で共有できるよい機会だった。

　その旅行先をあらかじめ全員で決めておいて、オープンボードに達成したら「温泉」とかハイアップで「常夏ハワイ」などと書いておく。なかには、達成率が10％で東京駅、50％で成田空港、90％でホノルル空港着陸中などと手の込んだオープンボードを作るチームもあった。

　今でもグループ会社によってはオープンボードコンテストが社内で開かれるほど、盛り上がりを見せている。

⑤全体の業務をA4用紙1枚にまとめると「自分流の勝利の方程式」が見つかる

　営業マン／ウーマンの仕事の幅はとても広い。リストアップから始まり、コールアップ、資料送付、アポイント獲得、初回訪問、継続フォロー、企画書作成、提案書作成、見積書作成、クロージング、申込書回収、納品、請求書送付（集金）、受注後の顧客フォローなど細部に分解するとキリがない。

　私（井坂）が現役営業の時には、この営業プロセスが30工程にも分かれていた。到底、すべてを上手にこなすことは困難であった。

　そこで、A4用紙1枚でわかる営業業務フロー（図表Ⅲ-4）を作成した。大雑把にいうと、「アポ取り→訪問→顧客課題をヒアリング→提案・見積もり→受注」というようなものである。

　これにより自分がいつ頃何をやらなければならないか、今どんな課題があるのかといった全体業務が見えてくるようになる。

　営業業務の全体が把握できてくると、今度は中分類で業務を見直していくことが可能になる。

　訪問なら初回訪問で必ず顧客から宿題をもらうようにするとか、二回目訪問では顧客課題を担当者と共有するとか──自己の営業プロセスが俯瞰（ふかん）できるようになった証拠だ。

　そんな自分の営業プロセスが明確になってくると、仕事の優先順位や時間管理等の面で実力がつき、めきめきと力を発揮するようになる。

　自分なりの営業プロセスが明確になり、いつまでに何をやらなければならないかの整理がつくようになってくると、不思議とポカミスが少なくなる。いわゆる「忘れていました」という言い訳がなくなるということだ。

　それと同時に、システム手帳やSFAで自分の営業履歴管理などを進んで行うようになる。一つひとつクリアしながら次に進むというや

（図表Ⅲ－4）全体の営業業務フロー例

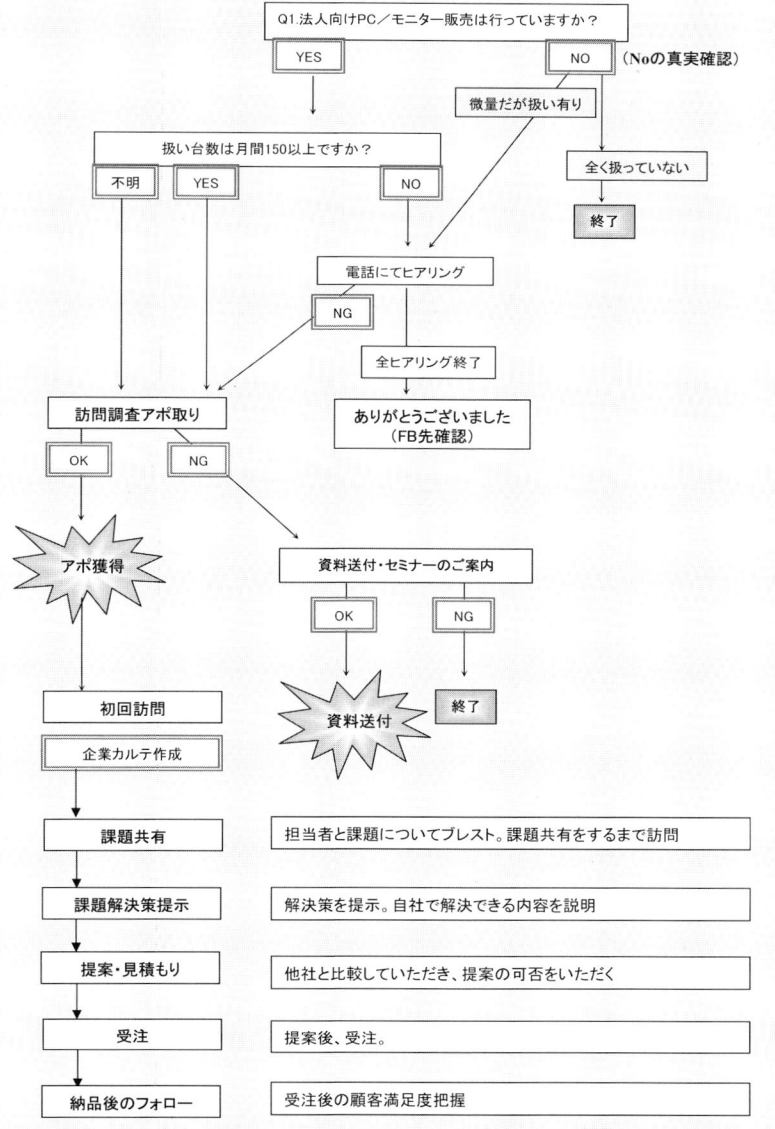

Q1.法人向けPC／モニター販売は行っていますか？
- YES
- NO （Noの真実確認）
  - 微量だが扱い有り
  - 全く扱っていない → 終了

扱い台数は月間150以上ですか？
- 不明
- YES
- NO → 電話にてヒアリング
  - NG
  - 全ヒアリング終了 → ありがとうございました（FB先確認）

訪問調査アポ取り
- OK → アポ獲得
- NG → 資料送付・セミナーのご案内
  - OK → 資料送付
  - NG → 終了

初回訪問
↓
企業カルテ作成
↓
課題共有 ── 担当者と課題についてブレスト。課題共有をするまで訪問
↓
課題解決策提示 ── 解決策を提示。自社で解決できる内容を説明
↓
提案・見積もり ── 他社と比較していただき、提案の可否をいただく
↓
受注 ── 提案後、受注。
↓
納品後のフォロー ── 受注後の顧客満足度把握

無断複写・配布・転載はできません

Ⅲ　バイブル2　ヒアリングは「営業の肝」　143

り方は、身近な目標を達成しながら前に進むようなもの。そのたびに自信となり、仕事が楽しくなってくるのだ。

　営業マン／ウーマン新人時代を経験した人なら、誰しもそんな経験を何回かしているのではないだろうか。

　営業プロセスを一つひとつクリアして次に進むという経験は、やがてある法則を見つけるに至る。いわゆる「自分流勝利の方程式」だ。経験値とともに無駄や無理がはっきりしてくる。次はやらないようにしようと学習することになる。

　また、業界ごとの共通課題に気づきさえすれば、提案内容も徐々に汎用企画書に変わっていく。求人広告の営業でたとえるならば、"顧客ごとの課題に応じて個別作成していた提案書→顧客課題"を数種類の属性に分けてしまい、数パターンの汎用企画書を用意しておく。

　こうすることにより、提案書作成にかけていた時間を新規アプローチに使えるようになる。営業プロセスのトライ＆エラーから自分流の勝ちパターンが可視化できるようになるのだ。

　勝利の方程式で、顧客課題別汎用企画書を用意することの重要性に触れたわけだが、自分の営業バリーエーションも同様のやり方で客観視できるようになる。

　以前、私（井坂）が勤務していた職場では、3年間でのべ1000名の派遣営業マンの管理を行っていた。

　いろいろな事情や考え方で「派遣」という仕事を選択しているメンバーの集合体だ。飛びぬけて営業力があるわけではなく、ごくごく平均的なメンバーが多かった。

　そんな中、急激に成長をし、キャリアアップをするメンバーもいた。まさに自分の営業のバリーエーションをつかみとったメンバーなのだ。

　私が所属していた「テストセールスセンター」は、お客様の営業業務の一部分をアウトソーシングで受託していた。また、営業業務の可視化や標準化なども業務としてお受けしていた。

　具体的には、2〜3カ月間という短い期間で、最適な営業手法を見

つけ、定性情報と定量情報に分けて報告させていただくというものだった。

むろん、受注までの最適な手法を見つけるには時間が短すぎる。そのほとんどは、リードゲット中心だ。いわゆる、新規リストに対してテレマクリーニングを行い、アポイントを獲得する。初回訪問で詳細なヒアリングを行い、顕在ニーズをお客様の営業マンに引き継ぐというものだ。

ほとんどの企業で、この新規アプローチを苦手としていた。逆に提案やクロージングにかけては、プロフェッショナル揃いという営業部が多かった。

この苦手な新規アプローチ部分を徹底して詳細なプロセスに分け、様々なやり方で業務を進めていく。

2週間もトライ＆エラーを続けていると、たとえばアポイント獲得ではこのようなパターンが、一次訪問ではこのようなヒアリング方法が成果に結びつきやすいといったやり方が見えてくるようになる。

年間3〜5社のお客様を担当するメンバーは、商品やサービスが変わっても、自分なりの営業バリーエーションを身につけて、一定の成果を担保できるようになる。

では、どのようなマネジメントをすればよいか、具体的な業務内容で説明しよう。

⑥一次訪問の目的は「お客様の理解」

たとえば、一次訪問業務を例にとってみよう。自分の勝ちパターンを会得（えとく）している営業マン／ウーマンは、「一次訪問の目的を明確にしている」のだ。

そして、3つのことに注意をしている。

- 商材の売り込みトークを避ける
- 相手の状況を徹底的にヒアリングする
- 一次訪問の目的を明確にすることにより、二次、三次訪問の布石にする

　先にも述べたが、多くの営業マン／ウーマンは、商品案内型だ。名刺交換が終わるや否や、商品パンフレットを出して商品の説明や案内を始める。10分も20分も担当者はつまらない話にうんざりしてしまう。

　もちろん、この営業マン／ウーマンの訪問目的は商品の売り込みだ。営業マン／ウーマンなら売ることが仕事なので当たり前といえば当たり前なのだが、果たして、このタイプの営業でトップセールスを続けている営業マン／ウーマンがどれだけいるだろうか。

　お客様の立場で考えれば、商品の説明を詳細にされればされるほど「売り込まれる」という危機感につながり、逆効果となる。

　ここで一例を紹介しよう。あるシステム系の企業のお手伝いをしたときのことだ。

　業務を始めるにあたってのミーティングに、営業の本部長や課長などをはじめ、5人もの営業マン／ウーマンにご参加いただいた。ひと通り商品の説明をお聞きした後に、新規営業先（お客様）の話になった。

　「御社の商品を購入した企業様の課題は何だったのでしょう？」とか、「お客様は、御社のサービスのどこが他のライバル会社のそれと比べて良かったのでしょう？」と質問をしてみた。

　驚くことに、誰一人として顧客課題を話そうとしないのだ。長い間、システム構築を続けてきた結果、サポートなどのランニングで収益を上げるモデルになっていた。だから最初のシステム構築費は、値引き枠をもって対応しているとのことだった。

イニシャルコスト面で優位性をもって受注を上げてきたため、顧客課題はシステム設計担当に任せっきりだったのだ。
　それが最近、急に売上げにブレーキがかかり、新規顧客開拓に力を入れ出したという背景だった。
　アウトソーシング部隊のミッションは2つある。1つ目は、商品案内をせずにヒアリングに徹する。2つ目は、詳細なサービス内容についてお客様（新規営業先）から質問があった場合、即刻営業担当の方に引き継ぐ。これにより、われわれの活動内容は明確になり、2カ月という短い期間に89社の企業カルテ（訪問ヒアリングシート）を収集した。
　お客様の反応は、「なぜこんなに具体的な内容が聞けるのか」という驚きそのものだった。また、ヒアリング内容には、「ヨミ」と「次の一手」を必ず記入した。これは、引き継がれた営業の方が、二回目訪問でどのような話の展開をすればよいか、イメージをつけやすくするために徹底しているものだ。
　「ヨミ」は、「A＝ニーズがある」「B＝興味がある」「C＝潜在需要」など現状のお客様の状態を示すものであり、受注できそうかどうかという内容ではない。
　「次の一手」は、「a.提案書を提出してください」「b.他社事例をご紹介して優位性の説明をしてください」「c.継続的にフォローをお願いいたします（1カ月に1度の電話によるヒアリングとか）」というものである。この内容は、引き継がれた営業マンの方からとても好評で、その後お客様の営業部全体で導入されたとのことだった。

　このように一次訪問の目的を「お客様理解のための訪問」という位置づけで、ヒアリング中心に行うことは、アウトソーシング部隊の派遣営業マン／ウーマンでも可能なのである。
　むしろ、どうやって口の重い担当者から根掘り葉掘り聞きだすかというロープレを日々行い、聞き上手になったのかもしれない。

営業担当者の二次訪問の目的が、提案や見積もりに集中できたことも営業効率を上げられた勝因になった。

⑦営業履歴を分析してヒントをつかめ

　営業履歴を残すことによって、いろいろなことが明確になる。
　不特定多数の企業に対して、同時に同じご案内をすると、反応する企業と無反応の企業に分かれる。反応する企業属性を紐解くと、一定の傾向が見えてくる。
　アポイントを取って訪問することにより、どんな課題をもっていて何がニーズとして顕在化しているのかが見えてくる——というように、自分たちの行動履歴からターゲティングを検討したり顧客ニーズを把握したりすることが可能になる。
　電話でヒアリングするために、どういう手段を使えばもっとも効果的かの検証例を示しておきたい。

　①電話だけでヒアリング
　②FAXアンケートの送信許可をもらい、記入後、ご返信いただく
　③いきなりFAX-DMを送り、ご返信いただく
　④いきなりFAX-DMを送るが、ご返信いただいた場合には粗品を
　　差しあげる

　という4つのアプローチ方法を同時並行して行い、それぞれの手法別にアポ獲得数をグラフ化（図表Ⅲ-5）したものだ。
　もっとも高いところが、電話ヒアリング数の多かったところだ。その時に実施していた手法が電話ヒアリングにもっとも適したやり方、という傾向が見えてくるわけだ。

(図表Ⅲ-5) 手法別訪問希望獲得推移表

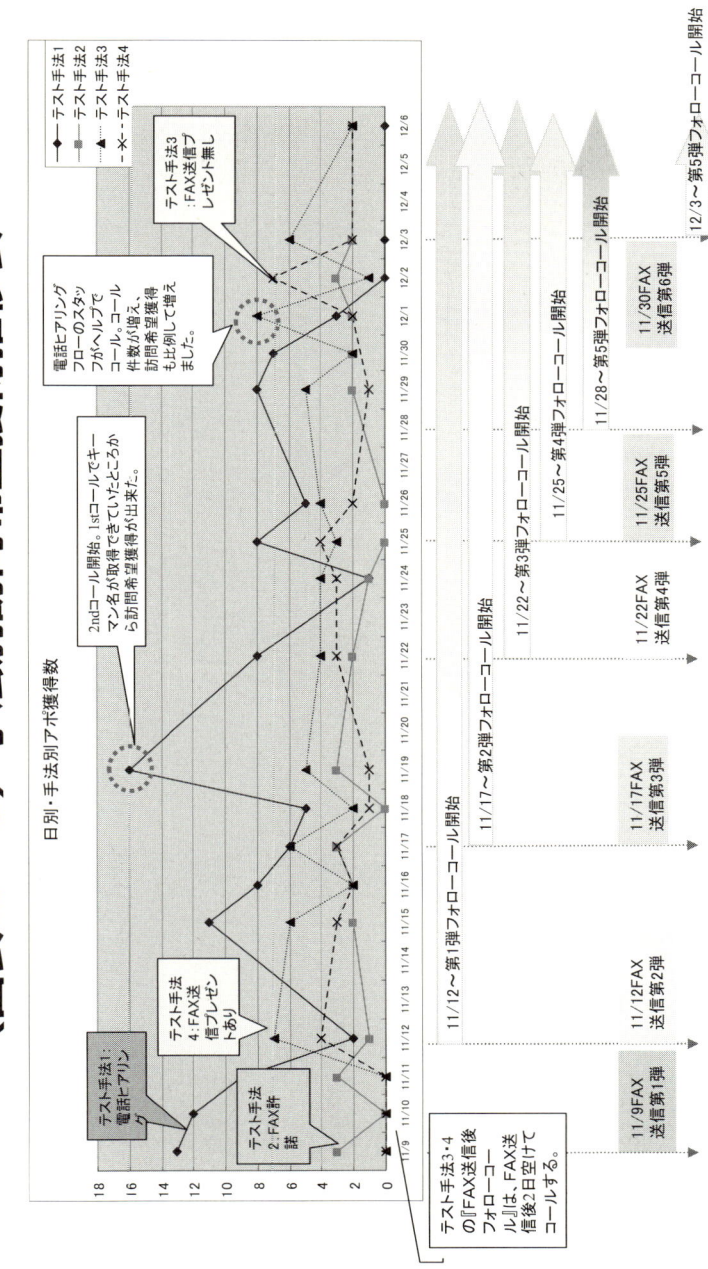

日別・手法別アポ獲得数

- ◆ テスト手法1
- ■ テスト手法2
- ▲ テスト手法3
- ✕ テスト手法4

テスト手法1：電話ヒアリング

テスト手法2：FAX許諾

テスト手法4：FAX送信プレゼントあり

テスト手法3：FAX送信プレゼント無し

2ndコール開始。1stコールでテレマン名が取得できていたところから訪問希望獲得が出来た。

電話ヒアリングフローのスタンプがヘルプでコール件数が増え、訪問希望獲得も比例して増えました。

テスト手法3・4の『FAX送信後フォローコール』は、FAX送信後2日空けてコールする。

- 11/9 FAX送信第1弾
- 11/12 FAX送信第2弾
- 11/12～第1弾フォローコール開始
- 11/17 FAX送信第3弾
- 11/17～第2弾フォローコール開始
- 11/22 FAX送信第4弾
- 11/22～第3弾フォローコール開始
- 11/25 FAX送信第5弾
- 11/25～第4弾フォローコール開始
- 11/28～第5弾フォローコール開始
- 11/30 FAX送信第6弾
- 12/3～第5弾フォローコール開始

無断複写・配布・転載はできません

Ⅲ　バイブル2　ヒアリングは「営業の肝」　149

⑧訪問日報から最適な営業方法が見えてくる

　訪問日報を記録することにより、自分の営業活動の中から受注をあげるための最適なやり方が見えてくる。「どんな対象企業にアタックすれば受注できるのか」「リストは何を使えばおいしいのか」等、受注企業の属性を分析すると共通の何かが見えてくる。たとえば、業界とか企業規模とか。

　その傾向が見えてくると、無駄な行動が少なくなり、最小の行動で最大の成果が出せるようになるわけである。

　では、その理想に近づけるためにどんな日報項目を残せばよいのかを説明しよう。

　いろいろな指標が考えられるが、わかりやすくするために「アポ獲得数」「商談化数」「受注数」という指標を例として用いる。商談化というステータスについては、別の項で説明する。

　下表は、業界ごとにアタックリストを100ずつ用意して、電話によるアポ取りをし、アポ獲得数、その後の商談数、受注数を日報をもとに、1カ月後、集計したものであるとする。

業界	アタックリスト数	アポ獲得数	商談数	受注数
IT	100	15	10	2
メーカー	100	7	5	3
流通	100	7	2	0

　あなたはどの業界を中心に当たるだろうか。IT業界はアポイントが15件と取りやすく商談数も10件と、一見するとターゲットとしてはおいしい業界に見える。しかし、受注数は2件と少なく、商談数に対して20％の受注率となっている。

　メーカーの受注率は60％であり、効率的に受注が上がっている。

流通業界はメーカーと同様にアポイントは取りやすいものの、商談数は2件と僅少であり、受注数に至っては0件となっており、メインターゲットではないことがうかがえる。

とりあえずは、メーカーがメインターゲットとして適しているのではないかという分析ができる。

今度は従業員数別でリストを用意し、営業履歴を残した表を用いて、違う角度から営業履歴を検証してみよう。

従業員数	アタックリスト数	アポ獲得数	商談数	受注数
100人未満	100	40	5	1
～500人未満	100	8	6	3
500人以上	100	3	1	0

従業員数100人未満はアポイントが取りやすい。その理由は、受付拒否が少なく、担当者と直接話がしやすいからである。しかし、商談数や受注数はさほど多くはない。

100人以上500人未満はアポイント8件中6件の商談3件の受注と傾向としては効率がよい。500人以上は、大手が中心で受付拒否が多いと見え、アポイントも3件と少なく、非効率である。

従業員数で鑑みると、100人以上500人未満がメインターゲットとして適しているという分析ができる。

次に、対象リスト別の営業履歴を検証してみよう（次頁の表参照）。『四季報』や企業ホームページは、無作為にリストアップをしているため、成果としては今ひとつのように見受けられる。

それに対して求人媒体リストは、人材を募集している成長企業と見ることができる。あくまで想像だが、元気な企業は商談が成立しやすい傾向にあるという仮説が成り立つ。

対象リスト	アタックリスト数	アポ獲得数	商談数	受注数
四季報	100	4	1	0
求人媒体	100	7	5	2
企業HP	100	10	3	1

　このように、様々な視点から営業活動履歴を日報に残すことによって、最適な営業指標を傾向値として取ることが可能となる。

　また、営業プロセス上のどの部分が原因で受注が上がらないのか、どこにテコ入れをすればよいのか等、営業の勝利の方程式を分析することが可能となる。参考：(図表Ⅲ－6)

(図表Ⅲ－6) ターゲットの市場性

業種	メーカー	流通	IT
リスト数	300	300	300
アポ獲得数	18	14	31
ヒアリング数	198	145	234
引継ぎ	11	8	19
アポ率	6.0%	4.7%	10.3%
引継ぎ率	3.7%	2.7%	6.3%
主な拒否理由	他社利用 課題なし 営業お断り	利便性なし 課題なし 説明拒否	説明拒否 他社利用 営業お断り
コメント	アポ率6.0%は、平均的。お客様の情報はヒアリングできているが、顕在ニーズは少ない。訪問後の結果を待って業界傾向を分析したい。従業員は、300〜500人前後	アポが一番とりにくい業界。ヒアリングもリストの半分しかさせてもらえていない。現場が忙しくなかなか落ち着いて話をさせてもらえないが、潜在ニーズはありそう	アポ率が10.3%と反応がよい。3分の2の方からヒアリングもできている。ターゲットとしては、一番適していると予想される。ベンチャー企業が多いのが気になるところ

無断複写・配布・転載はできません

⑨営業指標がよくわかるDBの作り方

　先に述べた営業日報を簡易データベース（図表Ⅲ-7）に残すことにより、営業指標が簡単にわかるようになる。

　エクセルにリストを用意して、日報として残したい項目（アポ数・商談化数・受注数等）を記入するようにすれば、マイクロソフトのアクセスを活用して、エクセルに用意した内容をデータベースに自動変換することが可能になる。

　営業マン／ウーマンはアクセスのフォーム画面に営業履歴を残すことにより、様々な営業指標やヒントを得ることが可能となる。マネージャーの管理ツールとして活用されるSFAが多い中、アクセスを活用した簡易データベースは営業現場で簡単に営業の生産性を振り替えるツールとして活用することができる。

⑩成果の上がるDBに必要な項目

　では、次に営業プロセス上の営業履歴をデータベースに残す場合の項目例をいくつか挙げてみよう。

【基本情報】

　企業名、電話番号、住所等のリスト情報。従業員数や、業種、売上げ、資本金などのデータもあると、後から「どの企業規模でアポ率が高かったのか」「ヒアリング項目に○○と回答している企業が多いのは××業界」等の分析をすることができ、ターゲットセグメントしやすくなる。

【変更/担当者情報】
担当部署名、担当者名、直通の電話番号等の情報を得た時に記入する。

【コール履歴】
いつ、誰が電話をかけ、誰と話していて、結果としてどうであったのかの履歴を残す。また、コールごとに「メモ欄」を設けておくことで、キーマン名を聞き出した経緯や、再コールに至った経緯など、次回コールの際に参考になる情報を残す。

【完了情報】
「完了」とは、ターゲットへアプローチした結果、白黒の決着が着いたものを「完了」としている。

たとえば、「アポイントが取れた」とか「担当者に拒否をされた」「電話番号が使われてなかった」等の場合が「完了」にあたる。一方、「担当者が外出中」等の理由で決着が着かなかった場合や未コールなどの場合が「未完了」となり、再度コールをすることになる。

また、拒否の場合は「拒否理由」の記録を行う。「どうして断られたのか」を残しておくことで、次のコールの際に、それに対する返しトークを準備して臨める。

【備考コメント欄】
このコメント欄がすごく重要になる。ヒアリングの内容を補足するだけでなく、「次に何をどうすればよいのか」がわかるように書いておくと、クライアントにとって非常にわかりやすい。

誰が読んでもわかるような文章を入力してもらうよう、新メンバーにはとくにケアしておくことをお勧めしたい。

（図表Ⅲ－7）アクセスを活用したDB作成（訪問版）

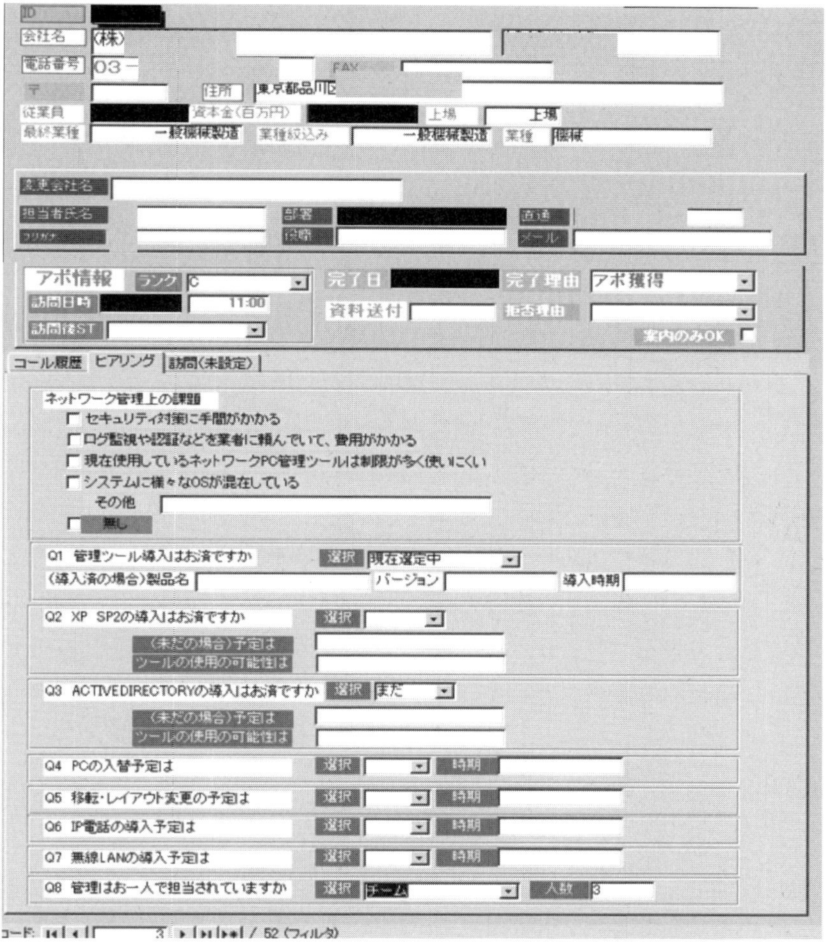

Ⅲ　バイブル2　ヒアリングは「営業の肝」

【アポ情報】

アポイントの日時はもちろんのこと、テレマーケティング時点でアポイントに「ランク」をつける。

たとえば、「Aランク→詳しい話を聞きたい」「Bランク→話を聞くのはOK」「Cランク→名刺交換程度」等。さらに、訪問後のステータスまでをきちんと履歴に残しておく（訪問営業が別部隊であればフィードバックをもらう）ことで、商談化とテレマーケティングの相関関係が見えてくることもある。

【ヒアリング項目】

ヒアリング項目は大別して「複数回答」「単一回答」「フリーワード」の項目に分かれる。

後々の集計・分析を考えると、できるだけ「単一回答」の項目を増やし、想定されうる項目は事前に選択肢の中に入れておくのがよい。また、実際のコールの中で、想定外の回答が頻出するときは、新たに選択肢・項目を設けたほうが便利である。

なお、「英数字は半角で」とか、「わからなかったときには空白のままでよいのか」「『不明』と書いたほうがよいのか」等、非常に細かいことではあるが、全員がバラバラの方法で入力をしてしまうと収集がつかなくなるので、フリーワードの欄は入力に規則を設けておくほうがよい。

⑪ DBを分析し、戦略的な営業を構築

営業履歴から営業の生産性を上げる目的でデータベースは活用されている。

しかし先ほど述べたように、マネージャー等の営業管理者のための管理ツールとして活用されているケースが多く見受けられる。

営業マネージャーは、営業マン／ウーマンの営業履歴を見て「この会社の進捗情況はどうなっているのか」「ここの受注はまだなのか」という言い方をしてはいないだろうか。
　営業マン／ウーマンは徐々に営業履歴を入力しなくなり、結果として導入したデータベースは利用されなくなってしまう。
　では、本来のデータベースの活用方法とはどのようなものだろう。

- 営業マン／ウーマンの進捗管理のサポート
- 優先順位と活動内容が明確になる
- 営業マネージャーから見て、メンバーの案件のどこにテコ入れをすれば営業の生産性が最大化するか明確になる

という3点が挙げられる。たとえば、従業員100人未満の中小企業にアポ取りを実施した場合、最初の1週間でリストが煮詰まり、アポイント獲得が鈍ってしまったため、新規リスト（従業員数300〜500人）を追加して（図表Ⅲ-8）アポ数の増加を図ったら、100人未満の中小企業の時と比較してアポイントが取れるようになったりするのはよくあることである。
　また、ある企業のシステム開発部門が新サービスの事業化を検討中で、そもそも新サービスのニーズがあるのか、また、どのようなターゲットにニーズがあるかを検証するために、市販リストを使用した。
　テレマヒアリングを開始して、業種・お客様コメントからニーズのありそうな業界の企業を再度絞り込んだ結果、アポ数・アポ率がアップした。
　このように、営業履歴を残すことによって戦略的に営業活動を進めることができるのである。

(図表Ⅲ-8) リスト別 アポイント獲得件数の推移

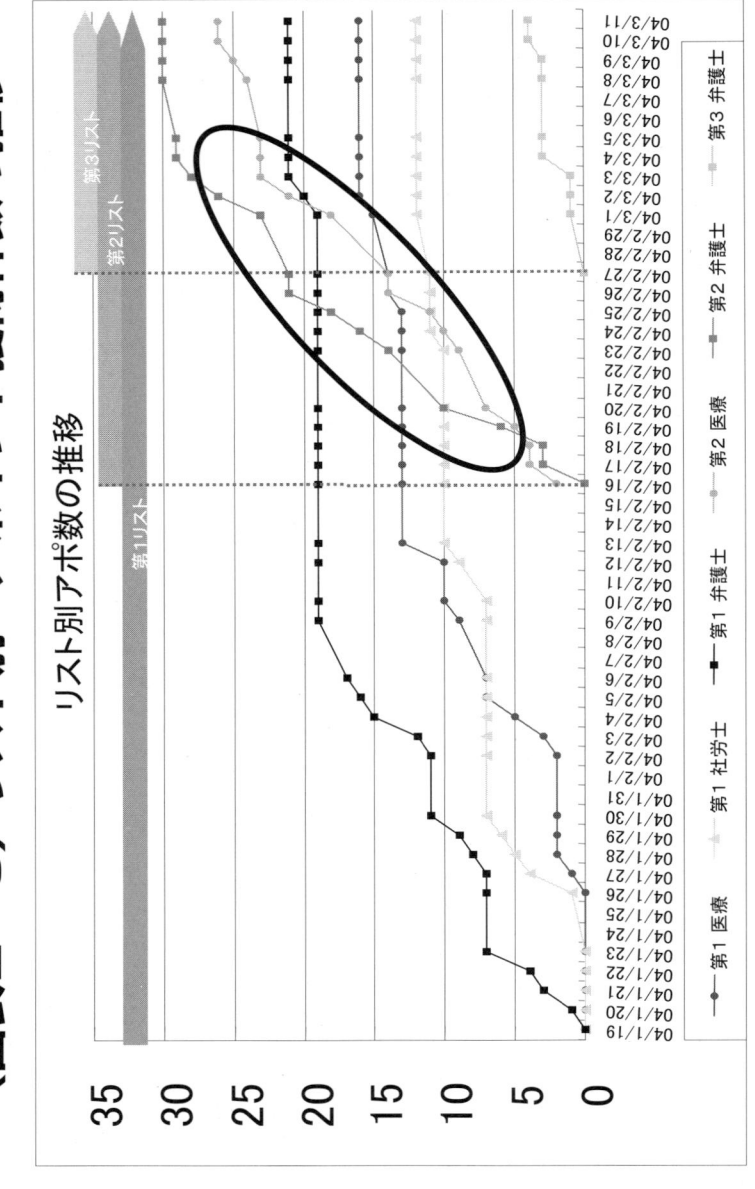

⑫営業履歴は全員同じ基準で記入する

　ステータスとは、営業履歴として残す指標であり、ステータス管理とは、適切なステータスが営業履歴として残されているかどうかをチェックすることである。ステータスを管理するには明確な定義が必要である。

　下記表は、ステータス例とその定義一覧である。あくまでこれはテレマーケティングを行った場合の営業履歴であり、参考までに見ていただきたい。

　ポイントは、複数の営業マンが同じ基準でステータスをつけることである。

ステータス名	定義
アポ獲得	アポイント獲得（日時：決定）
ホット案件	資料送付後、フォローテレマ可能
	担当者名判明、営業案内可能
リトライ	担当者と話したものの、ホット案件に至らなかった
受付拒否	担当者に取り次いでもらえず、受付段階で終了
担当者拒否	担当者に（アポイント・ヒアリング）拒否され終了
不在	外出中、会議中、来客中など、担当者と話せなかった場合
営業引継	担当営業から連絡がほしいといわれた場合
他部署引継	他部署でのニーズが判明、担当部署以外へ引き継ぐ場合
本社一括	支社である事が判明し、本社の連絡先を教えてもらえた
	支社である事が判明したが、本社の連絡先を教えてもらえない
エリア外	担当部署が対象エリア外にある→エリア担当に引き継ぎ
同業他社	同業他社にあたるためコール不可
販社・代理店	販社/代理店の取引先のためコール不要
取引済	既存顧客。営業担当がついている事が判明

不通	電話不通（現在使用されていない）
コール禁止	お客様がご立腹されてなど、2度とコールが不可と思われる場合
重複	同じ社名、連絡先を発見し、リスト重複が判明
上記以外	上記以外

　たとえば、ステータスは「アポ獲得」であるにもかかわらず、コメント欄には「担当者は忙しいので来月電話をしてくれと言っている」と書いてあり、ステータスの内容とコメント欄との整合性が取れていない。このステータスチェックを毎日行うだけでも管理者の負担は大きい。

　したがって、ステータスを入力する全ての営業マン／ウーマンにステータスの意味や判断の仕方を徹底する必要がある。

　ステータスのつけ方を徹底して教えても100％補えるものではない。時には判断しがたいケースに当たることもある。その場合は、質問として「Q&A集」に記入させ、ミーティング時に判断の仕方を説明する。

　この繰り返しにより、徐々にではあるが、判断に迷う事例が減少する。ポイントとしては、悩んだ内容をきちんと可視化しメンバー全員で共有する場を持つことである。

⑬ DBを読んで優先順位を決める

　アクセスに入力した営業履歴から条件抽出をして、優先順位を決める。

【日報】

　営業日報を毎日書くのは大変であることから、できれば定量的な営業指標は自動化したい。

アクセスのデータベースとエクセルをリンクさせることで、ボタン一つでエクセル集計が終わるように関数・表を作成することができ、集計の手間・時間・ミスを防ぐことができるので、非常に便利である。
　また、データ更新のボタンをクリックするだけなので、メンバーにも日報の更新作業が簡単にできる。メンバー自身で、日々の数字の進捗、目標の達成率などが確認できるため、数字・目標への意識を持たせることができる。
　また、アポや資料送付の実数と集計上の数字が合っているかどうかで、データベースのフラグチェック効果も期待される。

【訪問報告書】

　日報と同様、アクセスのデータベースとリンクさせることで、IDを特定セルに入力するだけで報告書が作成されるように関数・フォーマットを作成。基本的に、メンバーには帰社後、アクセスデータベースに直接訪問報告を入力してもらう。
　ここでも、電話時のアクセスデータベース同様、備考コメントが重要となる。「どういう話をしたのか」「○○の話をしたら、相手がこういう反応をした」等、実際の商談の様子がイメージでき、さらに「次の一手」が見えるような報告になっていることが望ましい。

⑭開始1週間で作戦を作る

（1）担当者のつかまりやすい時間帯をねらう

　病院を対象としたテレマーケティングを行った事例だが、既存の社員は「休診時間以外には電話しても無駄だろう」という先入観を持っていた。
　そこで、本当に休診時間でないとドクターと会話ができないのか、時間帯別の接触率を検証した。結果、午後であれば休診時間でなくて

もドクターと会話はできることが判明した。

次に、システムコンサルティングサービスで、アプローチ対象が大手企業の多忙な部門（経営企画部・営業企画部など）の事例を挙げる。

コールしても圧倒的に不在率が高く、電話をかけてもなかなかアポも取れず、リストの消化も進まない。効率よくコール・アポを取るために時間帯別のアポ獲得数を調べ、テレマを別働部隊に切り分けることで、営業効率のアップを図った。

アポが取りづらい時間帯は9時台前半、14時台後半〜15時台前半で、朝一番や昼過ぎは、担当者が外出中・会議中であることが多く、担当者の不在率が高いこともアポ獲得数が少なくなる要因と思われる。担当者不在でアポが取りづらかったことから、「どの時間帯なら担当者がつかまり、アポが取りやすいのか」を検証した。

また、時間帯により、アポ獲得率や担当者の不在率などに違いがあり、集計をしてみると傾向値が分析できる。その一例としてコール時間帯別ステータスサマリー（図表Ⅲ-9）を挙げておく。

(2) 受付が厳しい企業は事前にキーパーソンを調べておく

従業員数が掲載されているリストを使用してテレマーケティングの履歴をデータベースに残していく。

ステータスで受付拒否の企業一覧を抜き出してみる。その時の従業員数の傾向を分析すると、受付拒否が多い企業属性（この場合は従業員数）を推測することができる。

一般に大手企業の受付は、「担当者名を名乗らない」「営業電話と思えるもの」「用件が明確ではない」などの電話に対しては、丁重に断るように教育されていることが多い。

中堅中小企業でも、社長や役員に向けてのアポイント獲得等は拒否される場合が多く、事前にキーパーソンの名前を調べ、要件を端的にまとめておく等の準備により受付突破のパーセンテージが上がる。

(図表Ⅲ-9) コール時間帯別ステータスサマリー

ステータス 時間	アポ獲得	%	資料送付	%	受付拒否	%	多忙	%	不在	%	コール数
10:00	18	1.4%	29	2.3%	153	12.0%	24	1.9%	132	10.4%	1273
11:00	15	0.9%	44	2.7%	186	11.6%	24	1.5%	175	10.9%	1605
12:00	14	1.6%	17	2.0%	108	12.7%	22	2.6%	138	16.2%	853
13:00	27	1.3%	37	1.8%	172	8.5%	59	2.9%	556	27.6%	2017
14:00	36	1.7%	46	2.1%	194	8.9%	54	2.5%	519	23.9%	2170
15:00	37	1.7%	43	2.0%	228	10.5%	57	2.6%	457	21.0%	2180
16:00	38	2.3%	47	2.8%	168	10.2%	40	2.4%	303	18.3%	1655
17:00	44	2.0%	61	2.8%	189	8.8%	54	2.5%	484	22.5%	2151
18:00	36	1.7%	25	1.2%	151	7.2%	43	2.1%	598	28.6%	2088
19:00	0	0.0%	0	0.0%	0	0.0%	2	4.5%	4	9.1%	44
20:00	0	0.0%	0	0.0%	0	0.0%	0	0.0%	0	0.0%	2

無断複写・配布・転載はできません

Ⅲ　バイブル2　ヒアリングは「営業の肝」

(3) 部門別アポ獲得攻略法

　テレマーケティングでキーパーソンリサーチを行う部門としては、総務部・情報システム部・経営企画部・営業企画部・購買部・営業本部等が挙げられる。

　総務部や購買部等は日頃から営業電話が多く、電話をつなげてもらえないか、丁重に断られる場合が多い。

　経営企画部や営業企画部は新しいことには敏感で、「とりあえず話だけ聞いてみよう」とアポイントが取れやすい。しかし、情報収集が目的でなかなか商談にはなりにくい。むしろキーパーソンを紹介してもらい横展開を狙(ねら)う目的で訪問をしたほうがよかったりする。

　営業本部は、意外と営業アプローチを受けることが少なく、また、同じ営業として会ってみようという傾向もあり、アポイントは取りやすい。

　商品やサービスによってターゲットとする部門が明確であっても、直接その部門にアポイントが取りにくい場合もあるので、そんな時は他部門にアプローチをするなど内部情報をヒアリングしてから、再度アプローチを行うとよいだろう。

(4) 秘書や事務局長などを介したアポの取り方

　企業の経営者や病院等のドクターにアポイントを取るのは至難の業である。そんな時は、直接アポイントを取ろうとせずに秘書や事務局長等に訪問の目的やお会いしたい理由等を伝え、確認を取ってもらうとよいだろう。

　秘書や事務局長の多くは、要件を伝えてくれるはずだ。もちろん、「何時ごろご連絡をすればよろしいでしょうか」というように秘書や事務局長に時間設定をすることが重要である。

(5) 営業シーンにふさわしいヒアリングを

　商品やサービスを売ろうとする時に、営業マン／ウーマンがお客様

のニーズを確認することがある。

　ヒアリングの項目としては、お客様軸・課題軸・商品軸・競合軸等と、挙げだしたらきりがない。ちなみにリクルート時代は、一企業に対して30を超えるヒアリング項目があった。

　これらの情報を最初から電話や一次訪問で得ようとするのは好ましくない。電話で最低限聞かなくてはならないこと（お客様軸・課題軸）や、一次訪問で聞かなければならないこと（詳細な課題・商品に関する感想）等、営業シーンによってヒアリング項目は変わってくる。

　たとえば、一次訪問で最終決裁者や予算、購入時期を聞くことはタブーである。なぜならば、その質問は営業マン／ウーマンが商品やサービスを売るために知りたい情報であり、顧客の、今何が必要なのかを聞こうとする態度ではないからだ。

　むしろ、顧客の課題や解決策が共有でき、なおかつ、競合商品との差別化が図れたときに、提案内容やお見積もりを提出するにあたってはじめて聞く内容である。

　こう考えると、テレマでアポイントを獲得するまでに必要なヒアリング内容、一次訪問で最低限聞かなくてはならない内容、二次訪問で提案に向けて具体的に聞かなくてはならないこと、というようにヒアリングにもステップがあることを認識しておくとよいだろう。

⑮先方からの電話対応フローを全員に徹底せよ

　お客様から電話をいただいた場合の応対フローは必ず可視化し、ナレッジとして全従業員が共有しておくことが重要である。

　とくに、伝達のし忘れや既存顧客にもかかわらず、何度も社名やお名前を聞き直す等の電話対応ひとつで企業の姿勢がうかがえるので、注意が必要である。

さて、お客様から「ちょっと検討したいんだけど、誰か来てくれない」と電話があった場合に、どんなルールで営業マン／ウーマンに引き継ぐかを明確にしておいたほうがよい。

　私の出身企業ではお客様からの電話を「先テル」と言い、われ先にと競い合って取り合ったものだ。なかには先テルで大型受注を取り付ける者もおり、「運も実績のうち」などといわれた時代もあった。

　しかし、最近は営業評価に対して非常にセンシティブな問題として捉えている部門が増加している。平等感を共有するためにも一定のルールは必要である。下記は、その一例である。

（1）売れる営業マン／ウーマンに優先的に
（2）ローテーションで順番に
（3）電話を取った人間が担当
（4）案件化するまで間接部門が仮担当
（5）最初に受けた人間が社名、担当者名、電話番号を履歴として残す
　→運用を全社で管理

7. モチベーションをアップし成功スパイラルを作る

　営業マン／ウーマンのモチベーションは、いつも最高の状態とは限らない。売れていない時、体調が優れない時、プライベートで悩みがある時等々、モチベーションの維持が困難な時もある。

　その一つひとつの悩みを解決の方向に導き、モチベーションをすぐにアップさせるマネジメントがあったらいいなぁ～と思っている管理者の方は多いはずだ。

　これから紹介する4つのマネジメントは、この3年間でのべ1000名の営業派遣メンバーに対して実践してきたマネジメント手法だ。

　目的として、営業マンの現状を逸早くキャッチし、アラームが出る前に営業マンのモチベーションに関わる悩みや問題の芽を摘み取るというものだ。

　また、新たな武器や使い方のヒントを与えることにより、自分自身で解決の方法を模索できるようにするという意味も含まれている。

【プロセスマネジメント】

(1) 常に市場にマッチした業務フローを模索

　日々の活動、個々の商談状況、顧客毎の情報を時系列的に管理し、常に市場にマッチした業務フローを作成する

(2) プロセスごとの課題・解決方法・成果などの振り返り

　研修等で学んだことの定着化を日々のプロセスの報告を通して図る。

　また、きめ細かく、タイムリーに営業進捗状況を把握し、目標達

成に向けての具体的な方向づけを行い、短期間で業績を上げられるようにする

(3) プロセス上の得意分野を増加

得意分野をひとつまたひとつと増やさせることにより、売上げや行動指標が目標に到達できないときに、自分の営業プロセス課題を把握できるようになり、解決策を導き出すことができやすくなる

【モチベーションマネジメント】

コミュニケーションの様式を駆使してメンバーのモチベーションを高いレベルで維持しつづけるよう、配慮する。

- **誉める**⇒優秀な成績を残したり、成長の兆しの見えた営業マン／ウーマンを様々な方法で誉め、モチベーションを高める
- **励ます**⇒営業マンが成長するにおいて、個別・チーム全体を様々な方法で励まし、営業活動の盛り上がりを演出する
- **話し合う**⇒チーム全体の方向性や目標等をメンバーに浸透させ、チーム全体の凝集力を高めるために、全員が納得のいくまで話し合う
  チームミーティング以外にもメンバーと個別面談によって、メンバーのモチベーションの維持・向上を図る

【スキルマネジメント】

商談に必要な商品知識や顧客とのコミュニケーションスキルを高める。

- 商談に必要な商品知識の勉強会や顧客とのリレーションを高める研修を実施し、メンバーの恒常的なスキルアップを目指す
  また、優れた「ノウハウ」を全員が共有することにより、生産性

の向上及びメンバースキルの底上げを図る
- 営業進捗状況や受注予定（ヨミ）を前週の営業状況の確認と今週の行動予定、「ヨミ表」等を使って共有し、受注へ向けて個別営業戦略指導やクロージング指導を徹底する

【ナレッジマネジメント目的】

　朝会、情報共有会、チームミーティング等の会議や事例集の作成を通じて、個人の持っている、優れた「ノウハウ」を可視化し、組織の知識として活かす。

- 日常の営業活動における成功事例・失敗事例を共有するために、定期的に朝会や情報共有会等のミーティングを行い、チーム全体の営業力の向上及び均質化を図る
- ロープレや同行営業も定期的に実施し、個人の優れた「ノウハウ」を全員で共有し、営業力の向上及び均質化を図る
- 営業活動をすべてデータバンク化し、営業マンの増員や担当変更等の引継ぎもスムーズに行えるようにする（例：朝会、情報共有会、チームミーティング）

①とにかく誉める・励ます・話し合う

【誉める】

　（例証：朝会にて全営業マン／ウーマンの前で）
「今週のトピックスを紹介します。花子さんの今月の行動量は"ギネス"を更新しました。『行動量を上げるためにどんな工夫をしていますか』と本人に聞いたところ『明日の訪問準備を前の日に全て終わらせる』『訪問する周辺の既存顧客や管理顧客の企業カルテを用意する』のだそうです。
　みなさんも普段から実践されていることですが、花子さんに具体

な内容を聞いてみたいと思います。こんなに効率的に訪問件数を維持されることは、本当にすばらしいことだと思います。他の営業マン／ウーマンの方にアドバイスをするつもりで、この1カ月の振り返りから得られるノウハウをご紹介ください」

【励ます】

　迷っているメンバーがいる時には、そのメンバーのできている部分や得意なところを誉めるということは、前項でも紹介した。
　しかし、もう少し根が深い内容になると、ただ誉めるだけでは効果が上がらない場合もある。
　迷ったり悩んだりしているメンバーは、そういう状態になるまでのプロセスで何かボタンの掛け違いが発生している場合が多い。
　その箇所を発見し、その時点に戻って、どうすればよかったのかを一緒に考えてあげる。そうすることで、うまくいっていた内容も頭の名で思い出し、少しずつポジティブに物事を考えられるようになる。
　以下のような点に注意して、メンバーを励ましてみてはいかがだろうか。

- 行動の根っこにある背景を見つける
- 理由は
- どんな感情でいるのか
- 何を言ってもらいたいと思っているのか
- 答えを出さずにすり合わせを行う
- 絶対表面的な理解は見せない　→　逆効果

(例)
営業マン「ちょっとお話があるのですが」
マネージャー「じゃ、お茶でもしにいこうか」
営業マン「はい、実は会社を辞めたいと思うのですが」

マネージャー「え、どうしたの？」

営業マン「売上げも上がらないし、何のために仕事をしているのかわからないんです」

マネージャー「じゃ、売上げが上がっていた時は、何のために仕事をしていたの？」

営業マン「売上げを上げてNo.1になって会社にも貢献し、自分も幸せになりたいと思っていました」

マネージャー「自分の幸せって、な〜に？」

営業マン「充実感とか、給料がたくさんもらえるとか」

マネージャー「充実感って、売上げが上がった時に感じるものなの？」

営業マン「え？ 売上げを上げるまでの苦労があるから、達成した時の充実感があると思いますが」

マネージャー「そうだよね、やっぱり営業数字は一生懸命お客様のために何ができるのか、どんな提案がよいのか、まずはここからだよね」

営業マン「そうですね。企画を考えている時は、とても楽しいです」

マネージャー「君の企画は、いつもお客様の課題解決に役に立っているし、お客様からもそういう評価をいただいているんだろう？」

営業マン「そうですね。ありがたいことに顧客満足度は高いほうだと思います」

マネージャー「何より、お客様のために仕事をして、お客様から評価をいただく。結果として、それが自分の営業数字に跳ね返ってくる。そんな循環ができている君を僕はとても誇りに思っているよ」

営業マン「ありがとうございます」

マネージャー「それじゃ、今辞めたいと思ったり、何のために仕事をしているのか目標を失ったりしているは、なぜなのだろ

うね」
営業マン「そういえば、ここしばらくお客様のところに訪問する件数も減っています」
マネージャー「君らしくないね。どうしてなの？」
営業マン「一生懸命お手伝いしたお客様から効果がなかったと言われて、足が遠のいてしまったのです。それから他のお客様にお伺いするのが何となく不安になってしまって」
マネージャー「効果がないと言われたお客様を何で訪問できないの」
営業マン「怒られるのではないかと思いまして」
マネージャー「う〜ん、それはどうかな。効果がない理由はいろいろとあるんじゃないの？ タイミングや他社の比較・自社の受け入れ態勢など一緒に見直してみたらどうなんだ。お客様も効果が出ていない状態なのだから、お困りだろう」
営業マン「そうですよね。お客様の困っていることや課題を解決するために自分たちのサービスがあるのですよね」
マネージャー「それがわかっているのなら心配はないよ。お客様の満足のため一生懸命調べものをしたり、成功事例をさがしたり、企画を考えたり、そうすることでたくさんのお客様から支持を受けたから、売上げも上がったのだろう？ お客様からいろいろな経験を積ませてもらって自分の成長を得られたわけだから、これからもお客様とともにスキルアップしていけばいいんじゃないか」
営業マン「はい。なんか悩んでいた自分が嘘のようです。すっきりしました」
マネージャー「みんな生身の人間なんで、悩みや迷いはあるものだよ。そういう時は、気軽に声をかけてくれよ。またお茶でも食事でもいこうぜ」
営業マン「ありがとうございます」

【話し合う】

営業マン／ウーマンの場合、「何で売上げが上がらないのか」「こんなに一生懸命やっているのに」「他社商品のほうが魅力的」などの理由をつけて、売れない言い訳を始める。なぜなのだろう。

自分も経験があるが、売れていない時ほど自分の行動が見えていないものだ。いわゆる内的要因により「売れない」という事実を認めたくないわけだ。そして、その理由の矛先は外的要因に向かう。「周りのせいで売れないのだ」と。

するとマネージャーに「何で他のせいにするんだ」と頭ごなしに怒られる。余計にやりたくなくなる。こんな時に、ここで紹介する【話し合う】は効果を発揮する。

営業マン／ウーマンのモチベーションを左右しているほとんどの理由は、売れたか売れないか、という点である。管理者がそういう管理の仕方をしているから、営業マン／ウーマンの思考もそのようになってしまうのである。

課題は、営業プロセス上に必ずある。営業プロセス上の細部にわたる業務を可視化することが組織の管理者としての重要なポイントだということは、前項6⑤でも説明した。その中から営業マン／ウーマンの興味のあるところと興味のないところをひとつずつあげさせるとする。興味のないところが課題という場合が多い。

その課題について、営業業務の行動が伴っているのかどうかを確認する。行動量が伴っている場合は、業務の中身にフォーカスをあて、やり方やスキルについて吟味が必要になる。行動量が伴っていない場合は、なぜ行動量を担保できないのかというあたりから聞いてみるとよい。

実際に私が預かっていたのべ1000名の派遣営業マン／ウーマンも、その多くは行動量を上げる前に勝手に自分なりの結論を出してしまう。そして、自分なりのやり方（勝利の方程式）を見つける前に、次のプロセス上のステップに進んでしまうのだ。

（例）電話でアポイントが取れない営業マン／ウーマンは、訪問活動を行っても成果は出しにくいと思う。なぜなら相手の顔も見えない電話営業こそ、コミュニケーション能力が試される試練の場であり、それができない営業マン／ウーマンは商品案内の人間DMになってしまうからだ。

毎日電話をかけ続け、なかなかアポイントが取れないと、「訪問すれば結果を出せます」「訪問したいので外回りをさせてください」などと営業マン／ウーマンは言い訳を始める。

そのほとんどは、お客様との会話のキャッチボールに課題があるのだ。きちっとお客様の課題や状況のヒアリングができれば、アポイントにつなげることは自然の流れになるはずだ。

このような場合に、話し合うことが必要となる。ポイントは、4つである。

- 自分が課題だと思う点をひとつ挙げる
- 対処方法を一緒に考える
- どこにメスをいれればよいかを導き出す
- 進むべき方向・方法・エネルギーの共有を図る
  - →欠点を指摘するのではなく、長所を誉める
  - →致命的な欠点をポジティブな方向に向かわせる（励ます）
  - →何で今結果がでないのか、という原因を共有し、解決策を話し合う
  - ※解決策の押しつけはNGである。

②表彰・垂れ幕・ランチインセンティブで成功をシンボル化する

身近な目標達成を誉める仕掛けとして、垂れ幕（図表Ⅲ-10）が

（図表Ⅲ－10）目標達成の垂れ幕

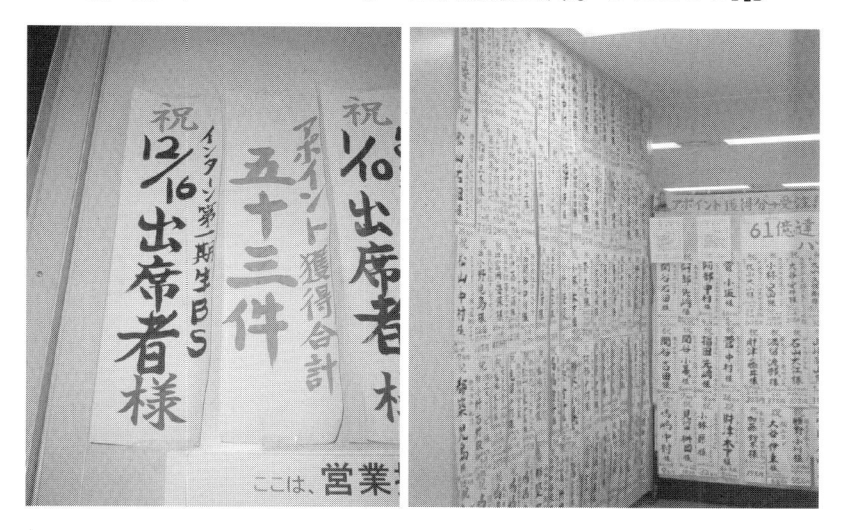

ある。垂れ幕は、20cm幅×50cm長さの色紙を使用。

たとえば、黄色の垂れ幕に、「祝」とか「新規目標達成」とか「月間目標達成」などのようにあらかじめ赤や朱色の字で書かれている。そして、目標達成をすると、名前・達成内容・一言コメントなどをマネージャーが筆で書く。それを朝礼等で読み上げながら、一人ひとりの営業マン／ウーマンに手渡すのだ。

例）
祝　草野春子殿　行動量No.1はさすがです

新規目標達成おめでとう　川上桃太殿　　最終日の追い上げは目を見張るものでした

祝　アポ件数達成　安土信長殿　　苦しんだ甲斐がありましたね　　本当におめでとう

など、営業マン／ウーマンの達成に至るプロセスをコメントに入れ、垂れ幕を作ることがポイント。
　垂れ幕をもらった営業マン／ウーマンは、一言感想とこれからの抱負を言い、朝礼の最後に掛け声をさせてもらえる。
　たとえば、「きょうも1日がんばるぞ」とか「寒さを吹き飛ばし、アポイントを取りまくるぞ」などと自由に掛け声を発する。
　目立ちたがり屋の営業マン／ウーマンは、ウケ狙いの掛け声を考えたりして、誉められる営業マン／ウーマンのみならず、誉める側の営業マン／ウーマンも盛り上がる。
　そして、もらった垂れ幕は、自分のデスクの上に吊り下げる。垂れ幕の数が、勲章の数というような雰囲気をかもし出すのだ。
　また、表彰状は垂れ幕よりも難易度が高いものとして扱われている。半期目標や通期目標達成時に、表彰状を渡す。垂れ幕同様、手書きの表彰状が基本となる。

【表彰状例】

日本太郎殿

　太郎君、新規受注件数目標達成おめでとうございます。
　毎日、まだ、だれも出社していない会社に一番に来て、当日訪問する会社のリストアップや資料のチェックを行っていましたね。そして、8時には、会社を出発して営業に出かけていました。
　A社様の担当者からは、「太郎君はとても営業熱心だよね。会社の前で毎日私を待っていて、いろいろな情報や資料を持ってきてくれるんだよ。本当に役に立ちました」というご感想をいただきました。太郎君の毎日の努力が実った瞬間ですね。

また、期初に売上げが上がらず苦しんでいたときがありましたね。毎日マネージャーを捕まえては、ロールプレイングやアクションプランの立て直しをしていましたね。あとでマネージャーに聞いた裏話ですが、「娘の誕生日に深夜まで太郎君とロールプレイングをしたことは一生忘れない」と言っていました。
　こんな太郎君だからこそ、徐々にお客様の信頼を勝ち取り、営業マン／ウーマン100名の中の新規件数トップに輝いたわけですね。
　しかし、毎日仕事で遅くまで残っているのはいかがなものかと、周りは心配しております。とくに太郎君に熱い眼差しを送っている営業庶務の良子さんは、多少のストレスを隠しきれないようです。
　今後は、質の高い仕事を実践するとともに、ぜひプライベートの充実も図ってください。そして、来期も他の営業マン／ウーマンのかがみとなるような行動量の担保と質の高いサービスを目指してがんばってください。
　今後の太郎君のますますの活躍を期待しております。本当におめでとうございます。

平成18年3月31日

PS. たまには私たちとも飲みに行きましょうね。

　このように営業マン／ウーマンの営業上のエピソードやお客様のコメントなども取材させていただき、表彰状を書く。
　また、失敗したことやトラブルなども挿入し、どんなふうに解決していったのかなどを盛り込む場合もある。
　何年か経った後に振り返ると、当時の自分がいったいどんな営業をしていたのかが思い出せるような内容になっている。
　何を隠そう、私自身もリクルートグループに入社した当時の表彰状

を今でも大切にしており、しまい込んでいる本箱からたまに取り出しては、当時を振り返り「にやにや」しているのだ。社会人となり二十数年経つが、今でもモチベーションアップの源泉になっている。

営業販促向けキャンペーンの場合、週間MVPなどを決めてランチに出かけるという表彰の仕方もある。

ランチには、一対一でいく場合が多い。キャンペーンの成果を誉めることは、もちろんだが、本人の現状確認がメインの目的になる。「今どんな気持ちで仕事をしているのか」「悩みはないか」「モチベーションはどうか」「将来の夢は」などいろんな話題を話していく。

無論自分のことも話すことにより、本音ベースの会話を引き出しやすいように場作りをする。

また、次期リーダーの育成という観点で、営業マン／ウーマンに対するリーダーとしての動機づけを行う場合も多い。

売上げや行動量が1人で担保できるようになると、他の営業マン／ウーマンの模範となるようにキャリアアップを促進する。「売れる営業マン／ウーマンから、チーム全体として売れるようになるためには何ができるかなぁ～」というような命題を出して、軽いブレーンストーミングを行う。このように表彰の機会をコミュニケーションの場として活用し、営業マン／ウーマンのさらなる育成機会として活用ができるのだ。

③誉めることで「できる営業マン／ウーマン」に変身

垂れ幕や表彰式・ランチミーティングなどの「誉める」機会を活用し、営業マン／ウーマンに自信をつけさせることが大切だ。

たとえば受注額は少なかったけれど受注経緯が参考になるということで、勉強会のテーマとして使われ、いくつもの勉強会に呼ばれて多

くの営業マン／ウーマンの前で、受注プロセスを話した瞬間などだ。

　トップ営業マン／ウーマンを表彰するだけの環境からは、層の厚い営業部隊は生まれない。本人を誉め、自信を持たせるだけではなく、周りの人間にポジティブな影響が広がるようにすることが肝心なのだ。

　お客様に商品やサービスの案内をして、仕事をいただき、納品、継続フォローを行う。

　当時、営業活動のプロセスは、30項目の営業業務に分けられた。たとえば、「新規アポイント獲得がとても上手な営業マン／ウーマン」とか「どんなお客様とも仲よくなり、リレーションをとることが得意な者」「課題解決に向けた企画構築が得意な者」など。

　売上げNo.1の営業マン／ウーマンのすべての営業プロセスが完璧かというと、決してそんなことはない。むしろ運も手伝ったり、たまたまお客様からの問い合わせが入り初回訪問で即受注などというケースもある。だから売上げを上げているものばかりを賞賛する風土にだけはしたくない。

　各プロセス項目の中で、得意とする営業マン／ウーマンがいれば、勉強会の講師をやってもらう。「今回は、お客様との本音トークから課題を共有すると題して、富士桜子さんに実践していることや気をつけていることなどを話してもらいます」というようにすべての営業マン／ウーマンが勉強会の先生となれるわけだ。

　得意な分野で話をすることにより、それは自信となり、さらなる成長へつながる。相乗効果として、苦手としている部分も払拭できるようになる。

　勉強会に参加した営業マン／ウーマンは、他のスキルを共有することにより、あらたな発見や気づきの機会を得られる。また、成功事例ばかりではなく、失敗事例などを中心に話を進める営業マン／ウーマンもおり、他のリスクヘッジにつながる場合も多い。

Ⅳ

バイブル3

企画立案は
「聴く力」で差がつく

1. 顧客と一緒に
解決法を考える営業

　企画立案に関しては企画力、コンセプチャルスキルがモノを言うと思われがちであるが、実は勝つ企画というのはヒアリング、聴く力に大きく左右されているのだ。

　つまり、いくら企画力を強化しようが、聴く力が伴わないと一向に営業の業績にはつながらない。

　営業マン／ウーマンが置かれている環境の変化もその一因であるが、かつて顧客は宿題をくれた。

　「こういうものはできないか」「来期の弊社の方針は……なので、それに見合った御社のご提案を……」「御社の○○をスペックインする予定なのですが、見積の他に、施工方法の資料みたいなモノってありますか……」といった具合に。

　ところが今では、顧客自身、何が欲しいのかがわからない時代となってしまった。

　したがって、顧客の先にあるエンドユーザーにまで思考を広げ、顧客と一緒になって考えないと勝てない時代となったのだ。

　当然のことながら顧客自身も一緒に考えてくれる営業担当者を好むようになった。これは民間企業に限ったことではなく、官公庁への営業でも同様だ。

　ちょうど去年（2005年）の11月にリクルートの1986年入社組の同期会があり、一緒に幹事を務めた井手修身君もそのことを熱く語っていた。

　彼は『観光会議きゅうしゅう』の編集長を最後にリクルートを卒業し、今年、イデアパートナーズ株式会社（http://www.idea-p.co.jp/）

という"宿、観光地の再生"コンサルティング会社を興したばかりだが、九州観光振興プロジェクトのプロデューサーとして自治体への営業を展開している時に、そのことを実感したという。

「発注側―業者」という関係ではなく、一緒に同じ方向を向いて考えていきましょうという姿勢と実行によってプロジェクトを成功へと導いている。

2. 顧客の期待を超える提案

　企画立案にあたり、企画を練る側はよほどのことがない限りは、自社都合で物事を考える。「顧客志向」とパンフレットやホームページに掲げたところで、我田引水な思考になるのはやむを得ない。
　ところが同じ自社都合であったとしても、顧客に関する情報量を目の前の担当者以上に蓄積していれば、顧客にとってはそうは見えなくなるのである。
　偏った断片的な情報でなく、微に入り細をうがつ顧客情報から練り込んだ企画というものは、それ自体が『For You感』をかもし出しているために、顧客の期待を超えるものになりやすい。
　もっと言えば、顧客の期待を超えることができれば、顧客志向であろうと自社志向であろうと大きな違いはない。顧客の期待に沿えない顧客志向と顧客の期待を超える自社志向とでは顧客は必ず後者を選択するのだから。
　価格勝負となる入札は例外として、価格が安いから勝てるというものでもない。
　顧客や顧客の業務自体に通じていれば、イニシャルコストとランニングコスト、転換コストだけでなく、プロフィットへの貢献を定量的に示すなど、勝負の土俵を自分たちの得意分野に引きずり込むことも可能になる。そうして7億5000万円の見積額で6億5000万円の競合に勝つことも珍しい話ではない。
　よく営業マン／ウーマンはコンペで「価格で負けた」と言いたがるが、その半数以上は「顧客との握り」で負けているのである。

3．企画立案の極意

①"たたき台"を基に作り込む

　どの業界にあっても「ゼロベースでアイデアを出してみよう」というブレスト（ブレーンストーミング）開始時のマインドセットはあるにせよ、商品や要素技術がある限り、本当にゼロから企画を作ることなどはありえない。そして作り始めたものを一気に完成させてしまうことも少ないだろう。

　いずれにしても"たたき台"という五合目の道標のようなモノを知恵として持って、それを礎にして、あるいはそれを軸として、そして時にはそれを設計図として企画を練り込んでいるに違いない。

　"たたき台"には、上記のような自分たちにとっての"たたき台"と、顧客に見せる"たたき台"の2つがある。

　前者は何かが案件化した時にPC上から、もしくはサーバー上から類似案件を片っ端から探しだし、もっとも近いものを原型として、そこに顧客からのヒアリング情報から得られたエッセンスによって加工し、最適なものに作り込んでいくためのモノである。

　後者は、完成した成果物を顧客に示す前に、途中段階の試作物を顧客に示し、顧客の意見を汲むというか、作成に顧客をも参加させてしまうための"たたき台"だ。コンペによっては後者を禁止しているケースもあるが、通常の営業活動においてはまったく問題ない。

　キーパーソンがそのたたき台の推敲に応じてくれれば、受注確率はかなり高くなる。

なぜなら、その推敲作業の間に二人は"共犯者"になるからである。共犯者というより、共同執筆者という表現のほうが適切かもしれない。

誰でも自分が意見したもののほうを評価したいに決まっているので、かなり理にかなった手法ではある。

しかしながら、この手法はそのたたき台が優れていることが大前提となるので、いつでも、誰でもが使えるものではない。未経験の場合は、自信のある場合に限ったほうがまずは得策だ。

②企画を魅力的に見せるコツ

素材がいくら新鮮かつ素晴らしいものであっても、やはり料理の腕が悪ければ、それなりの仕上がりにしかならないし、逆にいくら料理の腕が優れていても素材のマイナスを補うには限界がある。

「受注できるかどうかは、アプローチ準備とヒアリングで100％決まる」とこれまで述べて来たが、その成果物が企画書である場合も少なくない。

企画に関する書籍は、本書のメインテーマである"法人営業"と違って硬いモノから軟らかいモノまで多種多様である。

代表的な経済誌も年に何回かは大々的な企画力の特集を行い、ムック本も売れ筋のようだ。さらにはマーケティングやロジカルシンキングといった書籍もその係累にあたるため、ビジネス本コーナーの多くが企画系の類書ということができる。

そのような書籍や雑誌が多い理由はただひとつ、「売れる」からである。つまり多くのビジネスパーソンは自らの企画力アップになんらかの問題意識を持って、それを高めたい欲求と意思を持っているということの現れに違いない。

企画力に関する詳細に関してはそれらの書籍に任せるとして、ここでは法人営業にフォーカスしたところでの企画という料理のポイント

を述べてみたい。

(1) KFS(Key Factor For Success：突破口)を見つける

　まずは、自社本位、自己本位にならないようにヒアリングの内容から突破口を絞る作業が全体を貫く最重要な第一工程となる。

　この突破口に自分たちがリアリティーと兆しを感じられないと、ほとんど受注することはないので、その場合はやり直すに限る。

　自分ひとりで企画立案に励んでいる場合はいいのだが、チームで取り組んでもなかなか絞り切れない場合は、意思決定の基準というものを事前に共有しておくか、途中で共有モードに入ると、議論の拡散を収束することが容易になる。

　突破口というものはほとんどの場合にそのモノ、あるいはそのヒントが、顧客が発した言葉や、顧客が提示した資料の中に必ずあるものだ。「営業はセンスだ」といわれる所以はそこにもあるのだが、要はセンスのいい人間はヒアリング自体、突破口を見出すために行っており、それに兆しを感じるまで、あの手この手を繰り返しているのである。

　このセンスを属人的なものとして、そのまま放っておくか、営業組織の共有財産として部隊の底上げに生かそうと発想するかが、大きな分かれ道となる。

　<u>経営者や営業企画部門の方の夢を砕くようだが、このスキルはSFAでは補えないどころか、逆効果になるので注意が必要だ。</u>

　なぜなら、このスキルの伝承ができる人間が何度も同行営業を繰り返し、その時、その場でフィードバックをし、毎日、毎週の営業進捗のフィードバックの量の中でしか育たない、きわめてアナログなものだからである。

(2) 落としどころで顧客の期待に応え切る

　突破口がスタートラインだとすると、落としどころはゴールラインにあたる。落としどころについての考え方は業態、商材によるが、二元論で言い切ってしまえば、演繹的に仮説を展開してあらかじめ仮に定めてしまう場合と、帰納的にもろもろの分析の結果からたどりつく場合とがある。

　広告業界、ソリューション系、IT系をはじめ、多くの業界において、前者が多いという印象を持っている。

　落としどころも突破口同様、ヒアリング時に相手は明示しているか、暗示的にヒントを出しているので、そこに自社としてどう応えるかを決めることがその活動ということになる。

　落としどころが顧客にとって"なるほど！"と膝をたたくようなものにすることが当面の企画立案の目標になる。そこには顧客の期待に応えるか、応え切るかという明確な回答が不可欠となる。肝心なのは何をもって期待に応えるかを決定することである。

　例を挙げると、IT業界であれば、それは「花形PM（プロジェクトマネージャー）が頭に立つ」ことであったり、広告予算の不足を補うための「俳句コンテスト」（伊藤園の「お〜いお茶」）だったり、金融機関であれば、35年固定金利の住宅ローンだったり、営業研修の同行営業だったりするのだ。

　落としどころはシンボリックであればあるほど顧客にリアリティーを与えるので、そのほうが望ましい。いわゆる"目玉"、歌でいうと"サビ"をどうするかという議論だ。

(3) ロジックで見栄えよく仕上げる

　「突破口─落としどころ」が主語─述語であるとすると、その間にあるものは修飾語ということになる。

　根幹はあくまで「突破口─落としどころ」という原則は変わらないが、ここでは"美味い料理は、まず美味そうに見えなければならない"

という大原則が貫かれなくてはならない。

　それが小説であれば、もろもろの修辞の手法で情緒的なものになっていくが、企画立案においてのそれはロジックに他ならない。

　小説における修辞が自然美なら企画立案におけるロジックは機能美にあたる。ここでは「突破口─落としどころ」で正当性を裏づける論理展開やデータ、先進事例、他者事例での補強ということになる。

　欧米のMBAスクールやコンサルティングファームでは、そのロジックのためのテンプレートを豊富に蓄えている。

　代表的なものはマーケティングミックスの4P（Product、Price、Place、Promotion）やハーバードビジネススクールのマイケルポーター教授の5Forces（5つの制約：競合状態、売り手の交渉力、買い手の交渉力、代替品〈業〉、新規参入）あたりで日本でもおなじみだが、こういった論理のフレームを用いて肉づけしていくと、モレが補完され、ダブリがそぎ落とされていく。

　会社によっては分析フレームとか思考ツールなどとも呼ぶが、それぞれ同様の概念である。

　欧米のテンプレートの効用は、ずばり"見栄え"である。100年以上論理のフレームとしてビジネス社会を生き抜いた思考のフレームや、そういったフレームの修正によってもたらされたものは時として、まるで"定理"の「突破口─落としどころ」の間にピッタリはまるので、利用しない手はない。

(4) レファレンススキルを磨き、必要な情報を入手

　レファレンス（情報検索）スキルというのはどこにどのような情報があるのか検索する能力のことを指す。

　インターネット時代を迎えた現在、キーワード検索も一般的なものとなったが、それも含め、自分の欲しい情報が、どこの何を調べれば入手できるかを知っているか、いないかの差は大きい。

　ビジネススクールに入学した時、授業が始まるまで2週間くらいさ

まざまなガイダンスがあるのだが、そのレファレンスの時間もあった。一見、図書館の使い方のようにも見えるが、内容はもっと深い。

1991年のことだったので、まだインターネットは未整備だったが、それでも雑誌記事の検索はマイクロフィルムからCD-ROMに変わり、画期的に思えた。さらにはムーディーズやスタンダード＆プアーズといった格付機関や調査期間の定量データが豊富なのには驚いた。

ビジネススクールに入学する直前に3カ月間ほどニューヨークの大学のIEC（集中英語講座）に通ったが、そこではじめて"reference"というものに出会った。

受験英語的な意味はわかっていたが、そこで出会った実態はかなり違っていた。いわゆる"調べ学習"を通じて情報検索するスキルを身につけるといった内容だったのだが、語学スクールのレベルであっても、どのような情報が何をどういった手順で調べれば検索しやすいといった基礎的なプロセスを教えてくれた。

このIECもビジネススクールのレファレンスのガイダンスも企画立案に欠かせない技術を伝授してくれた。日本の大学も企業もそのようなことは教えてくれなかったので、こればかりは海外組に一日（いちじつ）の長（ちょう）があるだろう。

たとえばザックリした企業ランキングではなく、個別具体の商品やサービスの直近の市場規模やランキング、世帯普及率など、キーワード検索では出てこないデータを時系列的に把握する技能は、読書量、情報量とはまた違った範疇（はんちゅう）のものなのである。

これは一通りやってみないと身につかないので、必要が生じた時に大きな図書館などで、詳しい人に聞きつつ試してみるのがいいと思う。"お勉強"としてやっておこうではなかなか身につかず、差し迫った必要性が習熟を高めるコツだということも合わせて述べておきたい。

（5）相手の好みを反映させた表現で

課題や希望はもちろんだが、ヒアリング時に相手が話していた表現

やキャッチーなエピソードの本質的なところを企画書に盛り込むと、受けがよくなるということがある。

同様に企画書で用いる用語も自社、自社業界の表現ではなく、顧客側の業界用語、表現を用いるのが大原則だ。

売り場のことを"買い場"と呼ぶ企業もあるし、消費者を"生活者"と表現する団体もあれば、官公庁には独特の言い回しがある。横文字を嫌う団体、逆に好む業界もあるので、それを知らないとコンペでは浮いてしまう。

③知っている事例の数は説得の武器

先に述べた"たたき台"にも通じることであるが、類似事例、関連事例を数多く知っていることは武器になる。

いつ、どこで、○○という企業が××を発売した時のセールスプロモーションは、街頭アンケートで、髭剃りに安全カミソリを使っている男性にのみ、替え刃クーポンのついた安全カミソリのホルダーを試供品で手渡し、△△の成果を上げた——とかいう事例だ。

ビジネススクールでは2年間に約500から600のケースをこなすといわれているが、日常的に新聞や雑誌、専門書に触れていれば、誰でも数百レベルの事例を知っているに違いない。

そういった事例をヒントにして、アイデアフラッシュを重ねていくと、企画立案の時間を短縮できる。

私のビジネスパートナーの精神科医・和田秀樹氏は記憶には「入力・貯蔵・出力」があるとその著書で語っているが、企画立案のヒントや部品となる事例に関しては日常的な、情報の入力・貯蔵をしていると、必要な時にひらめきという出力を促してくれる。

加えて、"知っている人"を知っていることも重要な要素である。その道のプロ、もっとも詳しい人間の見解を把握できれば、鬼に金棒

だ。ビジネスパートナーや社内のどこに当該要素技術や類似案件に詳しい人間がいるかを押さえているという人脈網も、明暗を分ける重要な要素である。

④ハロー効果を利用して権威アップを

　これは日本に限ったことではないが、組織人は権威に弱いというか、権威によって担保されているものは通りやすい。したがって、権威を示唆(しさ)できるものがあれば何でも盛り込んでおくに越したことはない。

　たとえば業界トップ企業が採用しているのであれば、大きなセールスポイントになるし、検査機器であれば、大学病院に採用された実績を示さない手はない。

　アメリカで新興の出版社が大学向けの教科書を出版する時に、50州の有力大学の教授をアドバイザーとして迎え、全員の名を協力者として著者の下に載せて大成功したペースセッターマーケティングというのをその当事者から聞いたことがある。

　ほとんどの教授がその教科書を採用したのはあたり前だが、その教授が影響力を持つ近隣の大学も、その教科書を続々採用したそうだ。

V

バイブル4

プレゼンとクロージング 最後の詰めは確実に

プレゼンテーションに関しては、見積の提出、入札のみでプレゼンはないという業界も多いが、逆にここがクライマックスという業界もあるので、その要諦にも触れておきたい。

　コンペなどでは「プレゼンに勝った、負けた」「プレゼンに失敗した」云々とよく言われることであるが、厳密にはその表現は正しくない。

　プレゼンが下手で負けたのではなく、企画案に魅力がなかったり、価格が許容範囲を越えていたりしたからである。

　それらをひっくるめて"プレゼンで負けた"と表現してしまうと、プレゼンの特訓を始めたくなってしまう。負けた原因がプレゼンではないのだから、そこを高めたところで、勝率は高まらない。

　受注に成功した要因、失敗した要因のウエイトを分析したときに、これまでも指摘してきたように、そのほとんどがアプローチ準備とヒアリングに起因している。

　そして企画立案がその成果物ということであれば、実際、プレゼンの甲乙によるウエイトは高くない。

　企画が貧弱であってもプレゼンが優れていたために受注に至るという例は、思いのほか少ないのだ。

　理由は至って明快で、発注側も受注側も過去にそれで失敗し、トラブったことを学習しているからである。

　ただしプレゼンは減点法ゆえに、下手なのはまずい。なぜならアプローチ準備とヒアリング、企画立案をそつなくクリアしても、競合と価格も同じレベルなら、プレゼン勝負となって負けることもあるからだ。

1. プレゼンには
印象づける演出を盛り込む

　プレゼンの目的は企画内容を相手に正しく伝え、質疑応答の中で理解を深めてもらうことにある。

　内容を正しく伝えるというベースが確保されたなら、次は相手を印象づける演出について準備しておきたい。

　テクニカルな方法としては前半で勝負するために、前半に山場を設け、後半はイメージを膨らまし、広げてもらうための事例をちりばめるのが伝統的だ。

　細かいところでは服装がある。「勝負服」と言われるもので、プレゼンの日に限って縁起を担ぎ、紺のペンシルストライプのスーツにカフス、ポケットチーフまで決めたものを着用する営業マンも一種の印象づけである。

　小道具やシンボルを用いるのも演出としてはインパクトがある。企画書やパワーポイントのアニメーション以外、ビジュアル以外に実際の成果物のサンプルを作ってみたりして、質感を手で触れて確かめられるようにするのも、ひとつの方法だ。

　形のないサービスの場合もその想定されるエンドユーザーたちの生の声を集め、分析して見せたりするサプライズも印象に残るだろう。

　このような、どちらかというと派手っぽいパフォーマンスの対極にあるのは、「御社のことをこれだけ深く知っている」という謙虚なアピールをちりばめる方法だ。

2.「強み」を売り込み 「勝負の土俵」を選ぶ

　プレゼンの大原則は自らの「強み」を冒頭で明確に訴えることだ。
　プレゼンというのはそもそも世界でもっともロジカルな民族といわれるアングロサクソンがその発祥ということなので、日本語の文法より英語の文法のほうが据りがよく、結論やスタンスを先に述べるほうが効果的といえる。
　相手の課題を明確にしたうえで、自社や自部門、自社商品の強みを明確にして、プレゼンを方向づけるとよい。
　ここで注意したいのが、"絶対的強み" などにこだわらないことだ。"絶対的強み" を求めたい気持ちはよくわかるが、それがないからプレゼンに勝てないという思い込みは捨ててしまったほうがよい。
　"相対的強み" に対する自信と "ハッタリ" を混同してはいけない。まずは競合より優っていればよしとして、優っているもので勝負できる土俵を選ぶのがポイントとなる。
　プレゼンはそこに焦点を当て、山場を作りたい。自社商品やサービス、技術にデメリットがある場合も同様だ。その際も「メリット－デメリット＞0」であれば自信をもって勧めることをプレゼンのルールとすべきだ。

3.「決める側の思考」で
　プレゼンのシナリオを描く

　極端に言えば、「プレゼンはキーパーソンへのアイコンタクトだけ注意し、提案書を丁寧に棒読みすればよい」という考え方もある。「丁寧に」をさらに細かく言うなら、相手に兆しとリアリティーを与えているかどうかを確認しながら、重要なところはユックリと抑揚をつけて、間も空けて進行すべし、ということだ。

　提案書を棒読みするだけでは芸がないという場合においても「決める側の思考」でプレゼンのシナリオを描く原則は忘れてはならない。相手の好みがコンセプト論か技術論かで、プレゼンの進行はまったく異なるものになる。

　相手の聞きたいところに焦点を当てて、そこを重点的に伝えたほうが芯を食ったものになる。

4.「No」と言わせない　クロージング

　クロージングにおいて肝に銘じておくべきことは、"伏線を準備しておかないと、不測の事態への対応の成功率は極めて低い"ということだ。

　これまでアプローチ準備とヒアリングで受注確率のほとんどが占められると述べてきたが、競合が最終的に有利になっている段階をクロージングでひっくり返すのは、政治的なカードを使わない限りはかなり厳しい。

　つまり、クロージングというプロセスは、そのプロセスだけ単独に独立しているのではなく、これまでのアプローチ準備、ヒアリング、企画立案、プレゼンテーションとシンクロしてこそ機能を発揮するものなのだ。

　ヒアリングの段階、プレゼンの段階、その他の顧客との接触を通じて、競合の動きやそれに対する顧客の感触を把握したい。また、さまざまなルートを用いて、それらを入手することを心がけたい。

①否定的反応を先回りして潰す

　理想的なクロージングというものは、成約を迫った時に相手に否定的な反応をする材料がないという状況である。

　それは事前に起こるであろう否定的反応を予測し、それを先回りして潰していく活動が不可欠となる。

　ヒアリング時の与件から確度を予測し、何がネックとなる可能性が

あるかどうかについて敏感であり続けたい。

②キーパーソンを間違えないこと

キーパーソンに関しては、クロージングの段階では決め手となる。

たとえばキーパーソンがBPO推進本部の本部長であったのに、推進本部企画部長にクロージングしても、こちらの趣旨や熱意は常に企画部長通しとなって、企画部長の思惑で決まってしまう危険性もある。その状況が事前にわかっているかいないかが明暗を分ける。

わかっていれば、本部長への表敬訪問も実施できたろうし、プレゼン、クロージングの場への同席もお願いできたかもしれない。

これがいったん部長にクロージングして、好感触が得られず、その時点で本部長がキーパーソンだったことに気づいてもタイミング的に遅すぎて、エスカレーションは困難となってしまう。

営業のコンサルティングの場面で"上に会え"ということを躊躇する営業マン／ウーマンは少なくないし、なかには頭ではわかりながらも、なかなか従来の方法を変えられずにいる営業管理職も散見されるが、気持ちの持ち方次第に違いない。従来の方法で成果が出ないなら、"方法を変える"しかないのだ。

③主導権を取って進める

それまでのプロセスで主導権を取っているか否かも、この時点で大いに問われることになる。

主導権を取っていないと、こちら側でコントロールできないので、クロージングはほとんど機能しなくなってしまう。

仕切り直しについても浅い人間関係だと、こちら側のお伺いが通る

かどうかも相手任せという脆弱(ぜいじゃく)なものになってしまう。
　だからこそ、受注の確度を読む時も、この主導権が取れているかどうかを加味しないと、Aヨミ案件だったにもかかわらず、最後の最後に落としてしまうという事態になってしまう。

④案件見切りのタイミング

　Aヨミで報告されていた案件が、その期限を1カ月過ぎても2カ月過ぎても成約に至らないというのは珍しい話ではない。
　担当営業マン／ウーマンのヨミがもともと甘い傾向というケースもあれば、先方の課長が実はキーパーソンではなかったというケース、そして本当に政治的な働きかけといった不可抗力によって最後の最後に敗れてしまったというケースなど多様である。
　ここで重要なポイントは2点である。あらかじめ、そのような事態に対処できるように数字にバッファーを持っておくことと、逆転不可能な時点を見極め、キッパリとその案件を見切ることである。
　最悪なのは、当該営業マン／ウーマンは、そのAヨミの案件が期限を1カ月過ぎても受注できない理由を断定できず、しかもそれを補完する案件もないというケースだ。
　「社内システムとの統合の目途(めど)がたっていないようだ」「常務のところで止まっているようだ」というような「〜ようだ」というような曖昧な表現がこの時点で登場するのは、それまでのヨミが甘かったと言わざるを得ない。
　しかも、その案件に頼りきりで他に有力な案件がないというのは、悲しいかな、どこの営業部隊にも常にある話だ。
　こういった事態はクロージングの段階で発覚はするが、その時点に至ってしまっては"時、すでに遅し"で、ひっくり返すことは不可能と思ったほうがいい。

営業マン／ウーマンは、ヨミ会などの営業会議の元になる資料で案件が管理されている。

　この管理帳票のAヨミ、Bヨミがスカスカだと非常に肩身が狭いというか、会議の場でつつかれる。

　そこで防衛本能の一種でついつい実態より甘く読んでしまったり、もはや敗北感漂う案件まで引きずってしまったりするものなのだ。

　約束の期限に白黒つかず、その理由が曖昧な場合は危険信号だ。理由が明確なら、そこにフォーカスしてフォローを継続すればいいが、曖昧な場合はそれを明確にするアクションを起こす。

　そのアクションが3回継続して反古(ほご)にされた時には、案件を見切るサインと見なすのが合理的なところだ。

　あまり深追いしても、次の機会にマイナスの影響を及ぼすし、あまりにアッサリあきらめてしまっては逆に熱意を疑われるという狭間の落としどころだ。

⑤申込書、発注書でクロージングを演出

　業界によって成約時の書類は多種多様であるが、正式な契約書ではなく、申込書や発注書という文化の業界もある。

　これは扱っている商材の価格帯と相手の決裁権によるが、10億以上の商材であれば、通常は常務会等の決裁になるし、1億円であれば役員以上の決裁になろうが、3億円までは課長決裁という企業もある。

　しかし、1000万円程度であれば、厳密には部長決裁ながら、課長がOKならOKという場合も少なくない。

　このようなケースに課長の意思を確かめるための申込書や発注書を作成するのだ。

　要は"捺印"がポイントで自社の申込書に捺印するか否かで確度をハッキリさせるための演出である。

その申込書には法的な拘束力はなく、後日の正式な契約書締結までの"つなぎ"として使えるテクニックだ。競争が激しい業界だけに存在する習慣だと思うが、知っておいて損はない。

VI
受注に成功する営業業務のゴールデンルール

最適な営業業務とは、普段行っている営業プロセスを可視化し、無駄な業務を軽減し、受注に直結した業務のことを言う。

　たとえば新規法人営業の場合、リストアップから始まり受注後の顧客フォローまで様々な業務が営業マン／ウーマンの守備範囲といえる。

　リストアップひとつとっても、今までの顧客属性から比較的に売りやすい業界や企業規模を洗い出したり、現在の社会における元気な企業（指標はいろいろあると思うが、たとえば利益率が二桁アップとか）と業種をクロスさせたりとか、いわゆるターゲティングにかける時間は相当のものになる。

　このように営業業務をいったん紐解いていくと、多くの時間と工数が営業マン／ウーマンの負担になり、営業マン／ウーマンによっては各業務を100％こなすということが苦手な者もでてくる。

　営業部全体の売上げをアップさせようと考えるならば、その部の最適な営業業務（営業プロセス）を発見し、実践に移すということが重要である。以下、具体的なその一例を述べるとしよう。

1. 営業業務の優先順位を見極める

　まず最初に、営業業務全体のフローを考える必要がある。いわゆる全体設計である。
　この際、エクセレントな営業マン／ウーマン（上位20％）の営業業務を分析してみよう。たとえば、簡単な業務分析シートを作成し、優先順位と時間をかけている工数を調べてみる。

（例：営業業務を以下のようなプロセスに分けた場合）
　① ターゲティング
　② 企業データ調べ
　③ 企業データの入力（エクセルやDB・SFAなど）
　④ テレマーケティングによるアポイント獲得
　⑤ セミナーやイベントの案内状送付
　⑥ 営業案内などの資料送付
　⑦ 資料送付後のフォローコール
　⑧ キーパーソンへの一次訪問
　⑨ 顧客ヒアリング
　⑩ 顧客課題の抽出・整理
　⑪ 顧客課題のキーパーソンとの共有
　⑫ 課題解決に向けた企画書作り
　⑬ 企画書作成にあたってのデータ収集
　⑭ 見積書作成
　⑮ 二次訪問（提案・プレゼンテーション）
　⑯ 提案後の顧客課題ヒアリング（受注に向けた障壁）

⑰ ライバル会社との比較・検討による次の一手
　（値引き対応・サービス対応など）
⑱ 受注・申込書の回収
⑲ 商品やサービスの納品
⑳ 請求書作成
㉑ 集金・請求書お届け
㉒ 納品後の顧客満足度確認
㉓ クレーム・課題対応
㉔ 他のお客様紹介・推進
㉕ 紹介に対してのお礼

　営業担当者全員に上記営業業務の優先順位をつけさせると、エクセレントなグループは、

　1位　⑩ 顧客課題の抽出・整理
　2位　⑫ 課題解決に向けた企画書作り
　3位　㉔ 他のお客様紹介・推進

とする。しかし、中間グループ（業績が平均的な中位60％）は、優先順位がエクセレントなグループとはだいぶ違ってくる。

　1位　① ターゲティング
　2位　⑮ 二次訪問（提案・プレゼンテーション）
　3位　⑱ 受注・申込書の回収

といった具合だ。
　このように、営業業務の優先順位ひとつとっても営業マン／ウーマンによって大きな違いが出てくる。
　たとえば、この中間グループの営業業務優先順位を、エクセレント

なグループのそれと同様にするだけで、中間グループの営業マン／ウーマンの30％は今までよりも売上げが上がるようになる。営業業務の優先順位や、その業務にかける時間を工夫するだけで、営業の生産性はアップできるのだ。

営業業務の最適化を図るうえで、社内の営業マン／ウーマンの業務分析は最低限必要なプロセスである。

もちろん、優先順位を絞り込むだけでなく、業務全体をコア業務・ノンコア業務に分け、コア業務は営業マン／ウーマンが中心に行い、ノンコア業務はアルバイトや外部のアウトソーシング会社にお願いするなどの棲み分けという方法もある。

2. 営業履歴を入力し、ゴールまでのペースをメイクする

　営業履歴を残すことにより、何件にアプローチしていて、その中での商談数が何件発生しているのか歩留まりがわかると、何をどれだけやればいいかという量と優先順位が明確になり、無駄がなくなるため、モチベーションが維持しやすくなる。

　要は、ゴールが明確でペースメイクができるようになるためだが、たとえば、営業業務を日々の行動に置き換えるとすると、

① コール件数
② アポイント獲得件数
③ ヒアリング件数
④ 資料送付件数
⑤ 一次訪問件数
⑥ 提案書提出件数
⑦ 見積書提出件数
⑧ 受注件数

などである。これらの指標を取るためにエクセル上に項目と選択肢を並べて、行動履歴用ステータス表を作成する。

　このでき上がったエクセルをアクセスにインポートすれば、自動的にアクセスデータベースの完成である。

　営業担当者は、アクセスのフォームより、必要な数字や選択肢などを選び、入力をしていくだけである。

　営業担当者の履歴入力により、日々の日報や週報、月間行動量など

が自動で集計されるようになる。

　営業マン／ウーマンは１日の営業を終え、帰社後、営業日報をつけるようにと最初に教わるものだが、この方法を採用すると日報入力がだいぶ軽減できる。それにより、空いた時間を他の営業業務にまわすこともできる。

　日報に必要な項目をエクセルに準備しておき、アクセスのデータベースとリンクさせることで、ボタン一つで集計が終わるように関数表を作成することができる。集計の手間・時間・ミスを防ぐことができるため、非常に便利である。

　また、データ更新のボタンをクリックするだけなので、メンバーにも日報の更新作業が簡単にできるようになり、メンバー自身で、日々の数字の進捗、目標の達成率などが確認可能である。

　また、営業マン／ウーマン自身が、営業業務の進捗管理を行うことにより、数字・目標への意識を持たせることができる。

　また、アポや資料送付の実数と集計上の数字が合っているかどうかで、データベースのフラグチェック効果も期待される。

　営業訪問日報も同様の考え方で作成することができる。顧客カルテをエクセル上に作成し、アクセスのデータベースとリンクさせることで、IDを特定セルに入力するだけで訪問報告書が作成可能になる。

　基本的に、営業マン／ウーマンは帰社後、アクセスデータベースに直接ヒアリング内容を入力するが、ここでも、電話時のアクセスデータベース同様、備考コメントが重要になる。

「どういう話をしたのか」「○○の話をしたら相手がこういう反応をした」等、実際の商談の様子がイメージでき、さらに「次の一手」が見えるような報告になっていれば最高である。

　また、営業マン／ウーマンの行動量や目標数値管理だけではなく、営業業務の中で知り得たノウハウやナレッジを残すことも可能である。

　テレマーケティングでいえば、最初の難関の受付突破や担当者から

のヒアリング及びキーパーソンの洗い出しなど、「よく言われる言葉」と、それに対する「返しトーク」をまとめてみる。

　営業マン／ウーマンによって、様々な返しトークのパターンがあるので、ミーティングなどで共有し、これはと思うものを「殿堂返しトーク」としてマニュアルに載せていく。一度作っておくと、同じような商材、業界の営業のときに役に立つ。

　これは、基幹系のシステムの営業アウトソーシングを受けたときのことである。従業員500人以上の企業に対して、電話で現状把握のためのヒアリングを行った結果、ある業界のメーカーにシステムに関する共通の現状があることが判明した。

　お客様から「ウチの業界には業界VANがあるから」というコメントが多く聞かれたため、業界ごとの業界VANの名称や特徴をまとめた。

　あらかじめこれらを知識として持っておくことで、「御社は○○業界ですので、もう××（業界VAN名）をお使いとは思いますが……」とトークすると、帳票電子化についてのヒアリング項目が聞けるようになったり、お客様から「よく勉強しているね」と心を開いていただけたり、深いヒアリングにつながった。

【フルカスタマイズができるSFAの紹介】

　手作りのSFAもよいが、欠点がひとつある。それは、ひとつのファイルに複数の営業マンがアクセスをすると、データベースがフリーズすることがある。まして営業マンの数が数百名単位や全国営業所展開している場合、ひとつのデータベースに複数アクセス及びASP管理が必要となる。

　ASP対応しているSFAはいくつも見てきたが、「帯に短し、襷（たすき）に長し」といった感じである。そのほとんどが、パッケージのASPとなっており、本当に欲しい情報や機能が100％備わっているとは限らない。

なかにはセミカスタマイズできるものもあるが、費用面の負担が大きかったり制限が多かったりと、本当に自分が必要としているデータベースを構築することが容易ではない。
　そこで、アクセスのように自由にデータベースが構築でき、しかも途中で何回も項目を付け加えたり削除したりすることが可能なSFAはないものかと探してみたところ、"salesforce.com （http://www.salesforce.com.jp/)"という米国のSFAにたどり着いた。
　発売された3、4年前は、いまひとつの使い勝手であったが、日本企業向けにシステムの改良を重ね、非常に使いやすいものとなった。
　一番のポイントは、部門ごとにフォーマットや項目を変更することができる点である。しかも、営業部の戦略変更や商材のリニューアルによって起こる商品やサービスの売り方の変更に対応できるというSFAは、私（井坂）の知っている限りでは他にはない。
　具体的に言えば、いったん決定した一次訪問のヒアリング内容や商談化時におけるステータスの変更など、導入後数カ月経過してからもデータベースの変更構築を行うことができる。
　通常のデータベースでは、使用途中での項目の変更はその担当するシステム会社に依頼するか、あるいは改めて新しいシステムを構築し直すかであるが、"salesforce"の場合は、システムプログラマーほどの知識のない私でも、2〜3日の研修でデータベースの再構築が可能となる。
　入力された日報や訪問報告は、自動で集計され見やすい表や図としてリアルタイムに表示される。この図や表の設定は、自由に行うことができるため、営業業務の最適化を図る上での重要な指標として最大限に活用が可能となるわけだ。

3. 行動量セルフチェックシートで課題に前向きに取り組む

　行動量セルフチェックシート（図表Ⅵ−1）とは、営業マン／ウーマンと営業マネージャーが毎日やりとりをする、「交換日記」のようなものだ。日々、その日の目標を立ててから行動してもらうこと、その結果に対しての〝セルフチェック〟、活動を通しての気づきを書き込んでもらう。
　個人別のシートを持ち、プロジェクトごとにエクセルの共有ファイルにして、内容を営業マン／ウーマン全員が共有できるようにする。

目標と結果

　前日、もしくはその日の朝に目標を立ててもらう。しばしばずっと同じ目標を書いている者がいるが、本来、目標は後半につれて上がっていかないとおかしい。目標を立てる意味を営業マン／ウーマンに理解してもらうことが必要だ。

営業マン／ウーマンコメント

　毎日、業務が終わったら「結果」とコメントを書いてもらう。良かったこと、悪かったこと、悩んでいることなど、内容は様々である。

営業マネージャーコメント

　営業マン／ウーマンが記入したコメントに対して、毎日、営業マネージャーからコメントを返す。
　頑張ったことや成果があれば、誉めるのはもちろん、課題や悩みに関しては具体的なアドバイスを行う。

今週の自慢話／嬉しかったこと

その週の「自慢／嬉しかったこと」を書いてもらう。自分で自分を誉める、というのも大切なことであるし、営業マネージャーが気づききれなかった「自慢」があるかもしれない。"誉めネタ"を探すためにも有効だ。

今週の反省点

その週の活動を振り返り、課題・反省点を記入してもらう。大切なのは、それを書いてもらうだけでなく、「どう解決するか」という次の一手も書いてもらうこと。

ただ反省してもらうだけでなく、課題に前向きに取り組む姿勢を持たせることができる。

（図表Ⅵ－1）行動量セルフチェックシート

部署名				営業担当名	
営業第三部				山田太郎	
ミッション					
訪問数を増やし、顧客課題を吸い上げる					
今週の自慢話					
今週も達成、達成！					
今週の目標（※前週の金曜に記入すること）					
訪問ヒアリング　／週5件　／1日1件					
日付	曜日	行動目標	行動目標結果	コメント	
7/18	月				
7/19	火	訪問ヒアリング1件	1/5	今日は訪問ヒアリング1件。もう疲れまくりです。明日も同行で朝1で出かけるので、全然余裕がないです。こういう時はポカしやすいので要注意ですね・・・、アポのダブりとか。はぁー、本当に老体には答えるわ。	
7/20	水	訪問ヒアリング2件	2/5	訪問ヒアリング2件ですが、社数ベースでの追加は1件です。今日は夕方少し時間があったので新規アポも3件でまずまずの1日でした。○○さんの同行だったので、午前中は安心して過ごせたし・・・。そうそう○○さん止めちゃうんですって！！だから担当が変るらしいですよ。	
7/21	木	訪問ヒアリング1件	1/4	本日も○○さん同行でした。集合研修の資料が欲しいのでA社に行ったんですけど、その前に電話したら△△さんという方が出て、とても感じが悪かったです！！もう気分悪くなりました。バカにしてる感じかな・・・きっと。今日の成果は2件・訪問ヒアリング1件。でも新規アポはタコ・・・。	
7/22	金	訪問ヒアリング0件	0/3	新規アポ1・訪問ヒアリング2でカウントは3（社数2）で、うん、なかなか稼ぎました。が、実は訪問ヒアリングアポが週を通してタコです・・・。つまり尻つぼみが目に見えているんですよ。やばいですよね。来週はアポの件数が少ないので、電話の時間を大切に頑張ります。	

マネジャー名	
鈴木健一	
目標	
提案社数20社	
今週の反省点 訪問先でのヒアリング不十分	
マネジャーから一言 達成達成！いいですね！来週も達成達成達成行きましょう！	
営業マネージャーコメント	チェック日付
老体なんて言わないでくださいよ〜！そうしたら僕もオヤジになってしまうじゃないですか！つぎからつぎへと物事を運ばないといけないので、本当に大変だと思いますが、こんなときこそ優先順位！大事です。効率的にまわす方法を身につけましょう！効率化できる部分はお手伝いしますから…	7/20
あれ〜！そういうことは口頭でお願いしますよ〜！そうですか〜！いろいろとやって頂いたので、何かやりたいですね〜！おっと、PJTのこと書いてませんね。毎日訪問ヒアリングを一人1個とっていけば社数ベースで達成できますよ！大変ですけど、見切りを行なって効率よく行きましょう！	7/21
ちょっと大きめ(僕を基準に考えればみんな大きめですね)の方で、話し方からすると勘違いさせてしまうかも知れませんね(笑)今週も十分ノルマ達成ですね。このPJT絶対目標行きましょね！Mr.Nの"目標は社数ベースのつもりだったんだけど…"⇒じゃあそれも超えちゃいましょう！！	7/22
今日もカウント重ねましたね〜！行くか行かないかまったく変わりませんということはありません。いける人、いけない人、今後、何をやってもこの状態になると思います。前回行ったから今回はいいやでなく、常にいける人になってくださいね！と〇〇さんに書いても今回もいってますね！勝ちグセをつけるのはいいことです。これからもお願いします！	7/23

無断複写・配布・転載はできません

4. ヨミ表で商談化までの「次の一手」を考える

　ヨミ表は「1回行って、終わり」で済ませず、次にどういうアプローチをすれば商談化できそうなのか、「次の一手」を考えさせ、実行させる仕組みである。
　たとえば週に1回程度、ヨミ会を開き、「この会社、その後どうなってるの?」「これ、いつまでにやるの?」等の言葉をかけ、進捗確認を行う。
　また、それと同時に「この会社にはAの事例より、Bの事例を持っていったほうがいいんじゃない?」「この場合、この提案だけじゃなくて、こういう提案もできそうだね」等、より商談化しやすくさせるヒントを与える場なのだ。
　ヨミ表は、いつ、だれが、どの会社の誰に訪問し、その結果、どうであったのかが一目でわかるようにつくることが重要だ。
　訪問後にきちんとステータスをつけ、継続フォローの優先度を明確にしておく。
　アポが取れても商談に結びつかないような場合、商談管理を徹底して、ボトルネックを明らかにし、課題をつぶしておくことが重要になる。
　よいヨミ表（図表Ⅵ-2）は、行動履歴とその結果から得られた提案内容、もしくは次の一手が明確に示されているものである。悪いヨミ表は、行動の結果のみが記されており、次に何をすればよいのかが記入されていない。
　ヨミ表は営業マネージャーが数値進捗を管理しやすくするために始まったものだが、営業マン／ウーマンの立場で活用すると、「営業上

の次の一手」戦術として役に立つものだ。
　過去の自分の営業結果から、次にどんな施策を打って成功したのか、あるいは失敗したのか、その傾向を分析し、現在の営業に活用することにより、ヨミ表の活用価値が上がる。

(図表Ⅵ-2) よいヨミ表

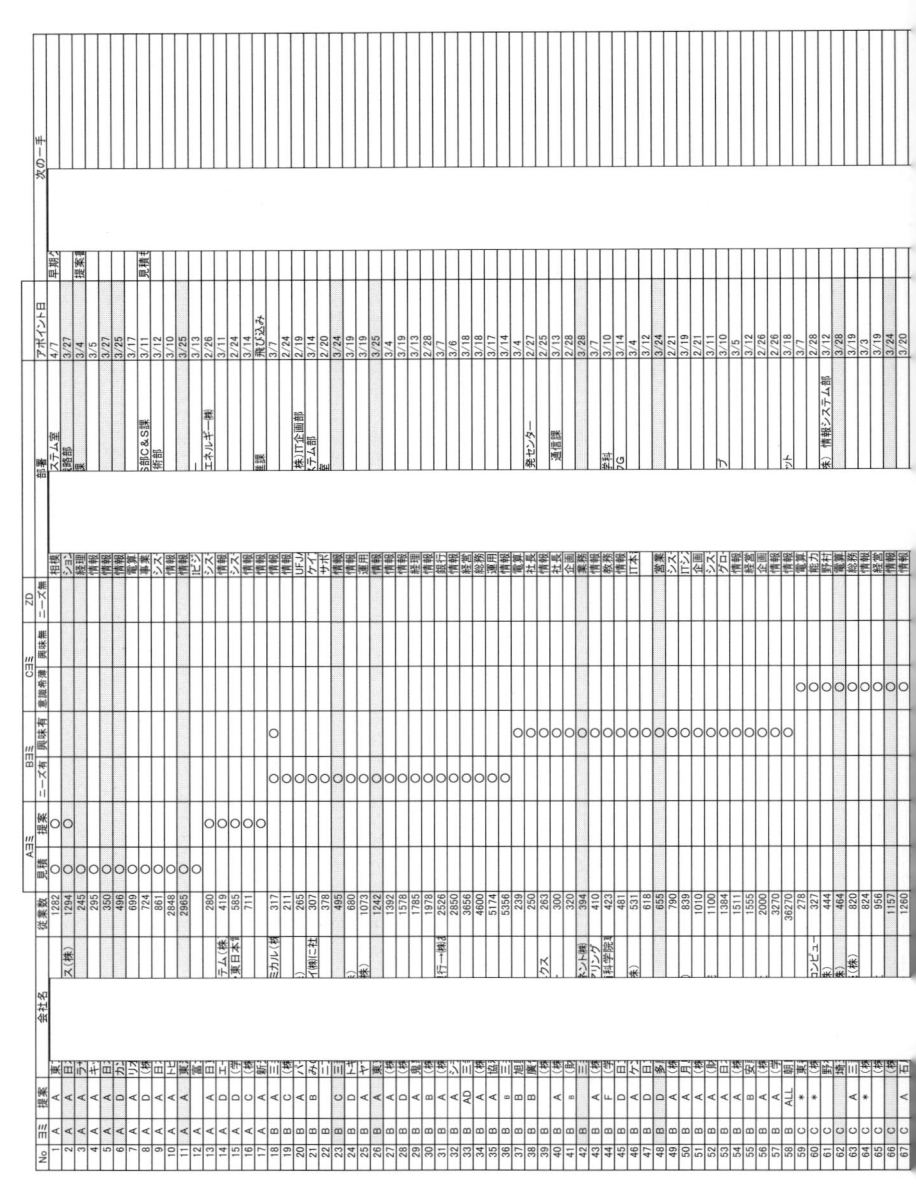

No	ヨミ	提案	会社名	従業数	A三 見積	A三 提案	B三 ニーズ有	B三 興味有	C三 意識商	C三 興味集	ZD 担当	ZD ニーズ集	部署	アポイント日	早期ア 提案書	見積もり	次の一手
1	A	A	薬	1282	○	○					シス		テム会堂	4/7	早期ア		
2	A	A	日	1294	○	○					経部		諮部	3/27	提案書		
3	A	A	引	245	○	○					情報		要	3/4			
4	A	A	千	295	○	○					情報			3/5			
5	A	A	日	350	○	○					情報			3/27			
6	A	D	力	496	○	○					情報			3/25			
7	A	A	リ	699	○	○					電算		s部&S課	3/11			
8	A	D	日	724	○	○					事業		析部	3/12	見積も		
9	A	A	ヒ	861	○	○					情報			3/10			
10	A	B	日	2848	○	○					情報			3/25			
11	A	A	酒	2965	○	○					シス		エネルギー課	3/3			
12	A	A	テム (株)	280	○	○					ビジ			3/11			
13	A	C	テム (株)	419	○						情報			2/26			
14	A	D	東日本 (株)	585	○						シス			2/24			
15	A	A	新	711	○						情報		課	3/14	飛び込み		
16	A	C	カル (株)	317			○				情報			2/24			
17	A	A	二力ル (株)	211			○				情報			3/14			
18	B	C	八	265			○				UFJ		株ITP企画部	2/19			
19	B	B	一一社	307			○				サイ			3/14			
20	B	B	み	378			○				サポ		テム部	2/20			
21	B	C	一横	495			○				情報		室	3/24			
22	B	D	(株)	680			○				情報			3/19			
23	B	C	(株)	1073			○				情報			3/25			
24	B	A	電	1242			○				運用			3/14			
25	B	B	薬	1392			○				情報			3/19			
26	B	C	菓	1578			○				経理			3/4			
27	B	B	八	1785			○				情報			3/13			
28	B	B	一横丸	1978			○				情報			2/28			
29	B	B	(株)	2526			○				銀行			2/7			
30	B	B	(株)	2850			○				経済			3/6			
31	B	B	(株)	3656				○			経営			3/18			
32	B	AD	(株)	4600				○			運用			3/17			
33	B	B	シ	5174				○			電算			3/14			
34	B	B	=	5356				○			計算			3/18			
35	B	B	開	239				○			情報		楽センター	2/27			
36	B	B	ス	263				○			社長			3/13			
37	B	B	ス	300				○			企画		運通課	2/28			
38	B	B	開	320				○			業務			3/28			
39	B	B	ドン一横	394				○			情報			3/7			
40	B	F	リング	410					○		教務		学科	3/10			
41	B	B	科学院目	423					○		情報			3/14			
42	B	A	(株)	481					○		IT本			3/4			
43	B	A	(株)	531					○		営業			3/12			
44	B	A	(株)	618					○		シス			3/24			
45	B	B	勝	655					○		ITシ			2/21			
46	B	B	勝	790					○		企画			3/19			
47	B	B	日	839					○		シス			2/21			
48	B	B	日	1010					○		プロ			3/11			
49	B	A	日	1100					○		情報			3/10			
50	B	A	(株)	1384					○		情報			3/5			
51	B	B	安	1511					○		企画			3/12			
52	B	B	朝	1555					○		情報			2/26			
53	B	B	(学)	2000					○		情報			2/26			
54	B	A	(学)	3270					○		電算		ト	3/18			
55	B	ALL	実	36270					○		電力			3/7			
56	B	B	(株)	278						○	経営			2/28			
57	C	*	評	327						○	情報		来 情報システム部	3/12			
58	C	A	(株)	444						○	経営			3/28			
59	C	B	三	464						○	総務			3/18			
60	C	*	(株)	820						○	情報			3/19			
61	C	A	コンピュー	824						○	経済			3/19			
62	C	B	三	956						○	経室			3/20			
63	C	C	(株)	1157						○	経営						
64	C	C	日	1260						○	情報						

#				会社名	金額	部署		備考	日付
72	C	A		古河	6100	企画		調田	3/7
73	C	D		富士	9554	情報	○		3/20
74	B	A	*	沖電	242	総務	○		3/14
75	C			国	267	総務	○		3/26
76	*	A	*	エ	288	情報	○		3/18
77	C			徳	413	情報	○		2/24
78	D		*	日(株)	804	情報	○		2/25
79	C			日	1122	経営	○		3/20
80	A		*	(株)	7616	経営			3/17
81	O			い	13877	情報			3/14
82	ZD			ビス(株)	215	シス	○		3/3
83	ZD			マ	295	IT推	○		3/6
84	ZD		*	シャルナ	320	情報	○		4/23
85	ZD		*	興	320	経理	○		3/28
86	ZD			開	360	業務	○		2/20
87	ZD			日	375	情報	○		2/28
88	ZD			協会	429	経営	○		2/26
89	ZD			竜	434	経営	○		3/3
90	ZD	A		ブリ	440	関発			3/28
91	ZD		*	関	444	販売			3/14
92	ZD			いす	215	総務			3/6
93	ZD			(株)	451	人事	○		3/10
94	ZD			ションズ	492	情報	○		3/24
95	ZD			チ	505	情報	○		3/17
96	ZD			ヤ	529	シス	○		3/11
97	ZD			東	530	経理	○		3/25
98	ZD			三	580	シス	○		3/24
99	ZD			富	626	経営	○		3/17
101	ZD		*	東	679	シス	○	企画部情報企画担当	3/20
102	ZD			エンジニ	680	シス	○		3/28
103	ZD			真	684	東芝	○	全 企画部システム課	2/28
104	ZD			三	887	情報	○		3/6
106	ZD			日	910	ジェ	○	全社 情報システム部	3/13
107	ZD			電	1086	富士	○		3/28
108	ZD		*	日	1587	ERP	○		3/11
109	ZD			日	1719	シス	○		3/24
110	ZD			電	1917	東芝	○		3/27
111	ZD		*	富	2811	情報	○		3/19
112	ZD			ング	3687	情報		所部	3/24
113	ZD		*	電	78624	日本			3/24
114	ZD			(株)	232	総務			3/31
115	ZD			千	241	業務			3/26
117				和	299	シス			4/10
118	*			表) 一総	320	事業			3/13
119				東	330	ISO井			3/26
120				和	403	業務			3/28
121				ロン	407	社長			4/7
123				(株)	409	情報			4/1
124				相	415	技術			4/8
125	*			日	420	情報			4/3
126				ッメディア	429	情報			4/17
127				千	450	電算			4/2
128				和	455	事業			4/3
129				金	500	ネッ			4/7
130				(株)	606	企画			3/27
131				名	620	本部			4/8
132				住(株)	630	情報			4/3
133				(守)	662	コン	担当		3/27
134				蛇	727	情報			3/27
135	待ち			防	912	経営			3/27
136	不明			三	960	情報		連プロジェクトチーム	3/26
137				興	1000	設備			3/19
138				7	1475	情報			4/14
139				イブデン	1522	総務			3/25
140				ニブリン	1547	シス			3/26
141				榊	2058	電算			4/16
142				(ケ)	2060	業務			3/26
143				か	2549	情報		ループ	3/26
144				三	4181	EP			3/17
145					10784	IT技			4/3
					27827				

Ⅵ　受注に成功する営業業務のゴールデンルール

5. 受注案件をプロファイリングしヒントをつかむ

　アポが取れたとしても、実際に商談化、売上げにつながらないと、やはり営業マン／ウーマンのモチベーションは上がらない。
　アポが取れるようになったら次は、「どう効率良く売上げに結びつけていくか」という課題が出てくる。
　商談化・受注に至った企業は、他の企業と比べて、どのような特徴・傾向があるのか、プロファイリングを実践してみるべきだ。「ヒアリング項目にこう答えていると、商談化する確率が高い」とか、「こういうニーズ・課題感を持っている企業には、この商材のトークが有効」等の共通点があるはずだ。
　自分の過去の経験だけでなく、チームのメンバーの過去の案件進捗の結果には必ずヒントがある。
　そこから次なる一手を導き出すというのは、過去の成功の方程式に照らしたものであるため、合理性が高い。
　次の一手は誰が聞いても明確で、具体的であることが目安となる。「すべきこと」「やりたいこと」「できること」でフィルターをかけると自然にそうなるので、試してみてはどうだろうか。

6. 振り返り、仮説検証による「勝ちパターン」の発見

　営業業務の行動履歴をデータベースに入力することにより、自分の営業活動はもとより会社全体の営業業務の"振り返り"が可能となる。
　だが、ほとんどの営業現場で、"振り返り"といえば、「なぜ今月は売上げがこんなに下がっているのだ」という営業マン／ウーマンの売上げ不振の理由についてや、「納品した商品について顧客クレーム対応で多くの時間を割かれました」という事象が起こった結果報告をさせる場合が多いように見受けられる。
　この3年間でお手伝いした営業業務のアウトソーシングでも、"振り返り"を営業業務の戦力にしているところは少なかったように思う。
　では、戦略的に振り返りを活用し、営業マン／ウーマンの戦力強化に役立たせるためには、どんな方法がいいのだろうか。
　前章で触れたが、営業活動は多くの営業プロセス業務の集合体で構成されている。売上げ不振に喘ぐ営業マンや薄利多売で利益をなんとか出そうと考えている経営者には、ぜひ実践してもらいたい。
　営業プロセスをミクロ的に検証してみると、何か違和感の残る業務結果に気づくことがある。
　具体的に言えば、たとえばテレマーケティングで1日80コールをキープしながらアポイントが1件も獲得できていないとか、他の営業マン／ウーマンと比較して訪問数も商談数もダントツで多いのに受注件数が平均以下など。個別の営業担当者別に営業履歴を虫眼鏡で覗き込むと、以上のような違和感のあるプロセスが見えてくるはずだ。
　これが全社となると売上げを左右する悪しき習慣だったり、逆に好調要因だったりが発見できるようになる。

これらの営業履歴の振り返りにより、いろいろな仮説検証が可能となる。その結果として、営業業務の勝ちパターンが見えてくるようになる。
　例を挙げてご説明しよう。PCの法人向け販売をしている営業部。リストアップは、『四季報』や売上げ上昇率が2ケタ以上の企業リストを使用し、テレマーケティングでニーズヒアリングを行い、顕在ニーズのあるお客様に限り訪問の約束を取りつけるという営業手法だ。
　長年の経験からどんな点をヒアリングすればよいかがまとまっており、独自のヒアリングシートをデータベース上に用意している。
　営業経験のあるスーパーバイザーが常駐しており、テレマーケティング業務はアルバイトやパートで対応可能となっている。
　アポイントを獲得すれば、プロパーの営業マン／ウーマンが訪問し、見積もり提出をするというフローが完成されている。
　もちろん訪問先には、他社PCブランドの営業マン／ウーマンも日参しており、売上げは横ばい状態、利益率は下がる一方だった。
　格安PCがインターネット通販等で売られる時代に、営業マン／ウーマンを配しての法人向けPC販売に賛否両論出てきている社内状況を打破するために、営業業務の見直しを検討していた。
　このような状態の営業業務を、みなさんならどのような方法で"振り返り"を行い、どこにメスを入れて、どんな次の一手を検討するだろう。ポイントは3つである。
　一つ目は、法人のPC需要とPC購入のチャンネルについてのヒアリングが必要だということ。二つ目は、顕在ニーズの捉え方を見直す必要があるということ。三つ目は、営業マン／ウーマンの顧客訪問時のフローについての見直しが必要ということだ。
　一つ目のPC需要と購入チャンネルについては、顧客側の現在の状況（PC購入意向ではない）を把握し、ターゲティング分析を行うことが重要である。
　たとえば、大手企業になればなるほど横並び（既存取引の状態）と

のバランスをとろうとしたり、購買部が絶対コストで判断したりと参入障壁は高い。何とか取引にこぎつけたとして、他社取引実績として広報できるわけでもなく、薄利多売になる可能性が高い。

自社のPCを販売できる企業属性を知ることが最優先事項といえる。ターゲティングの結果、PC販売の事業自体の見直しなどということも充分にありえる話だからだ。

二つ目の既存ニーズの見直しという点だが、テレマーケティングにおけるヒアリング結果と実際に訪問した結果には温度差があり、既存ニーズをどんな基準で定めるかは永遠のテーマである。

訪問時に相手の顔つきや言葉尻をつかみ、その反応から本音を垣間見ることも多少は可能であるが、顔の見えないテレマーケティングにおいては、お客様の状況をステータスに置き換える業務が重要となる。「現在、PCの入れ替え需要はございますか」とか「リースやレンタルのPCの契約はいつごろまでですか」とかPC顕在重要をさぐるトークはいろいろと検討されてきた。

社会のその時々の状況（円安・円高とか）やターゲットとする業界や企業規模・キーパーソンの属する部署などによっても、刺さるトークは違ってくるものだ。

これは、営業マン／ウーマンとの協力が必要になり、訪問後に顕在ニーズのすり合わせをテレマーケティング部隊と行い、温度差を縮めていくということを行い、顕在ニーズの定義を一緒に決めていくことが、訪問時の効率アップにつながるのだ。

三つ目の営業マン／ウーマンの訪問時フローについては、現在の見積もり提示型や納期重視型の案内方法では、顧客の真のニーズを解決できない状態なのかもしれない。

すべての対象がそうとは限らないが、ほとんどの企業でIT系インフラ導入には、業務効率のアップや経費削減などの大命題があり、その解決方法としてハード・ソフトの購入が決定されるという一連の流れがある。

よくソリューション営業と耳にするが、そんな大げさなものでなくても、顧客の置かれている背景や導入を検討している理由、導入することによって何を実現しようとしているのかなどをそれとなく聞いていけば、自然と顧客対応型の提案営業に結びつくのではないだろうか。
　商品の説明や価格交渉に自分から入っていってしまうのは、みすみす勝機を失うだけであり、むしろヒアリングに徹することで、真のニーズが明確になり、ビジネスチャンスも増大するように思える。
　このような"振り返り"と仮説検証を繰り返し、最適な営業業務を導きだすことを半年に一回は実践し、顧客と自社と営業マン／ウーマンとの接点を明確にしておくことが大切だ。
　ポジショニングというマーケティング用語は、このような現場のマクロな状態を把握することにより命を吹き込まれ、経営判断の指標となり得るのだ。

7. 常に「顧客の期待に応えたい」という心構えを持つ

　これまで、様々な営業業務を紐解き、最適な営業プロセスを議論してきたが、最後に重要なことをまとめてみよう。
　まずは、営業の進捗状態をステータスに分け、全体の内訳と進捗状況をまとめることだ。
　複数種のリストを使用している場合、リストによってステータスの内訳に差分・偏りがあるかどうかもチェックしてみる。
　また、営業マン／ウーマンの受注結果より、リスト属性も振り返り、業種別、あるいは企業規模（従業員数・売上げ・資本金等）、評点などによって、アポ率や商談化率に差がないかどうかをチェックする。
　魚のいないところで釣りをしていても釣れないのは当たり前なので、少しでも魚影の見えるところにポイントを絞り、効率を上げていくことが、最適な営業プロセスの第一歩と心得よう。
　また、これらの傾向値分析には、あまりにも母数が少ない段階で分析しても精度の誤差が大きくなってしまうため、電話完了数で最低300件、訪問でいえば最低30件ほどの数は必要だ。
　ヒアリング項目は、それぞれに集計をしたうえで、何か特徴的な傾向があるかどうかをチェックしてみる。
　また、クロス集計（項目と項目を掛け合わせて集計する手法）をしてみると、特定の回答をしたところは特定の傾向が出ている、ということもあるので、それがターゲットや、提案のフックを洗い出すヒントになることも十分にあり得る。
　ヨミ表で、訪問企業の全体の感触、傾向、ヨミの状況を営業マン／ウーマンとマネージャーは共有しておかなければならない。

ただし、マネージャーの営業マン／ウーマン管理ツールとならないように、顧客管理ツールという概念が重要となる。また、ヨミをあげる（Ｃヨミ→Ｂヨミ、Ｂヨミ→Ａヨミ）ための具体的な指示ができているか、マネジメント徹底度のセルフチェックも欠かせない。
　顧客が一番耳を傾けるのは、やはり「エンドユーザーの生の声」である。
　顧客自身、すべての課題や問題点を認識しているとは限らない。第三者だからこそ気づくことのできる課題や問題点もあるはずで、それを一つひとつ確認し、解決に向けて共に歩むことが法人営業の醍醐味なのだ。
　だからこそ、顧客のことをどれだけ把握しているかということがカギとなる。
　顧客がどんなビジネスをしており、利益を生む源泉は何か？　営業先のカスタマーやユーザーは？　その業界のライバル企業は？　ライバル企業の製品やサービスを導入している顧客は？　経済状況の変化にともなって増減する経営資源は？――等々について知ろうとすることが法人営業の核心だ。
　その一つひとつについて情報を吸い上げ、顧客の期待に応える心構えを常に持ち、実践に移し、その結果から得られる次の一手を明確にし、営業活動の最適化を図る。このサイクルが必ずや法人営業力を高めてくれるはずだ。
　ぜひ今日から、あるいは明日からでも実践してほしい。３カ月後には目に見える成果が出るはずだから。

おわりに

　人材ビジネスおよび法人営業の仕事を通じて、多くの経営者や人事担当者、営業本部の責任者の皆様にお会いする機会が多かった。
　とりわけ、ここ3年間で営業アウトソーシングのお手伝いをさせていただいた176社のクライアント企業の営業部門責任者の方々からは様々な営業現場における「課題」や「悩み」をお聞きする機会をいただいた。その経験や蓄積したナレッジと営業マン時代の実体験をベースに「法人営業」のノウハウをまとめてみた。
　もともとこの『法人営業バイブル』を執筆したいと思ったきっかけは、様々な営業現場においての課題や悩みの多くが共通しており、その解決策の1つとして営業プロセスの見直しが重要であると確信したからである。
　その裏づけとなった経験が、昨年まで所属していたリクルートグループのテストセールスセンターだ。テストセールスセンターは、本格的にアウトソーシングを導入する前に、「営業業務のコア業務・ノンコア業務の見極め」「派遣営業マンの適性把握」「対費用効果」などを検証するための機能を持っていた。
　とくに法人向け新規営業開拓の場合、新規アプローチから一次訪問までのプロセスを見直し、営業業務の標準化を図るというミッションを2〜3カ月間で活動し、結果報告をさせていただいた。
　すべての営業業務には、シナリオとそれを仮説検証するだけのたくさんのヒントが隠されていた。マーケティング理論に照らし合わせれば、傾向値を分析し、改善点（あるいは攻めるポイント）を発見し、アクションプランを立て、実践に移す――ということになるだろうか。
　実際には、のべ1000名の派遣営業スタッフを管理し、ITソリュー

ション・ミドルウェアー・基幹システム・工作機械・半導体・OA機器・医療機器（MRの領域外の商品）・自動車・環境コンサルテーション・シンクタンク・電気・通信など様々な分野の営業業務を、テストセールスという形態でお手伝いさせていただいた。

　何より驚いたことは、とても難しい商材やサービスの営業でも一定の結果を担保し続けることができたということである。

　具体的にいえば、派遣の営業スタッフが2日ほどの商品研修やロープレで、対象とする企業にアポイントを獲得し、そこから多くの情報をヒアリングし、提案や企画につなげられる材料を持ち帰って来られた、という事実である。

　営業プロセスの徹底した管理とそこから得られる情報分析により、営業は限りなく"科学する"ことになる。もちろんそこには、営業マン／ウーマンに対するモチベーションアップのためのマネジメントの徹底があったことも事実である。

　外部人材の活用で可能であったこの手法は、明日からすぐに取り入れられる実践可能な営業手法と考えている。本書を通じて、法人向け営業力を飛躍的に高める一助となれば幸いである。

　最後に、本書の出版にあたり、お世話になった方々にこの場を借りてお礼を申し上げたいと思います。

　まず、リクルートグループ在籍時より様々なお付き合いを通し、私を鍛えてくださった経営者の皆様や人事・営業部門の皆様に心からお礼を申し上げます。

　アウトソーシング事業において苦楽をともにした同僚や仲間たち、とりわけ小岩さん、勝俣さん、猪口さん、現在、私の在籍するディップ株式会社の最高執行責任者の大友常世COOには、公私にわたりお世話になっており、この場を借りてお礼を申し上げたいと思います。

　また、「営業に関する本を書きたいと思うのですが」と胸の内を打ち明けたときに、わがことのように喜んでいただき、「井坂の経験を

活かした本を思う存分書きなさい」と応援してくださったディップ株式会社代表取締役社長の冨田英揮CEOには、心より感謝しています。

　そして何より、初めて書籍を執筆するにあたり、何度も貴重な時間を割いていただき、6カ月間にわたり実践的なご指導をいただいた本書共著者のエマメイコーポレーション代表取締役の大塚寿氏には、とくにお世話になりました。大塚氏には、タイトなスケジュールの中、執筆未経験の私を励まし続けてくださったことに、心からお礼を申し上げるとともに深く感謝の意を表したいと思います。

　本当にありがとうございました。

2006年4月吉日

井 坂 智 博

〈著者略歴〉
大塚　寿（おおつか　ひさし）
1962年、群馬県生まれ。中央大学経済学部国際経済学科卒業。株式会社リクルート勤務を経て、1991年5月より渡米、アメリカ国際経営大学院（サンダーバード校）にてMBA（国際経営学修士号）を取得。現在は、マーケティング・コンサルティングおよびオーダーメイド企業研修を展開するエマメイコーポレーション代表取締役。打ち合せを重ね作成した事例によるケースメソッドのマーケティング・マネジメント研修、受講者の実案件ベースからスタートするワークショップ営業研修が好評を博している。また、株式会社宣伝会議の広告営業職養成講座の講師、ヒデキ・ワダ・インスティテュート主任研究員としても活躍中。
著書に、『リクルート流』『リクルート式』『売れる営業、売れない営業』『転職力（共著）』（以上、PHP研究所）、『部下のやる気を2倍にする法（共著）』（ダイヤモンド社）がある。

エマメイコーポレーション・ホームページ
http://www.emamay.net/

【連絡先】
E-mail: emamay@mx2.nisiq.net
住所：〒107-0062 東京都港区南青山2-2-15-815
　　　エマメイコーポレーション

井坂智博（いさか　ともひろ）
1963年、茨城県生まれ。盛岡大学文学部英米文学科卒業。リクルートグループに延べ11年在籍。「求人情報誌の営業」から「サラリーマンの独立市場の開発」（『アントレ』の前身）まで新卒から8年間、事業領域を含む営業の基礎を学ぶ。1997年、株式会社くらしネットを設立し、代表取締役に就任。日本で初めてのウェブマーケティング事業を展開する。その後、M&Aで同社を営業譲渡。2001年、NPO国連支援交流協会 国際社会支援支部 支部長就任。2002年より株式会社リクルートスタッフィング テストセールスセンターの運営を担当し、センター長として営業プロセスの最適化や営業のコア・ノンコア業務の切り分けなどを提唱する。セミナー講師なども務め、3年間で営業アウトソーシング100億円ビジネスに大きく寄与。2005年10月からディップ株式会社に。現在、営業企画本部副本部長として活躍中。

【連絡先】
E-mail: t-isaka@dip-net.co.jp
住所：〒106-6032 東京都港区六本木1-6-1泉ガーデンタワー32F
　　　ディップ株式会社 営業企画本部

法人営業バイブル
――明日から使える実践的ノウハウ

2006年5月31日　第1版第1刷発行
2009年11月30日　第1版第2刷発行

著　者	大　塚　　　寿	
	井　坂　智　博	
発行者	江　口　克　彦	
発行所	ＰＨＰ研究所	

東京本部　〒102-8331　千代田区一番町21
　　　　　学芸出版部　☎03-3239-6221（編集）
　　　　　普及一部　☎03-3239-6233（販売）
京都本部　〒601-8411　京都市南区西九条北ノ内町11
PHP INTERFACE　https://www.php.co.jp/

組　版　朝日メディアインターナショナル株式会社
印刷所　図書印刷株式会社
製本所　東京美術紙工協業組合

© Hisashi Otsuka & Tomohiro Isaka 2006 Printed in Japan
落丁・乱丁本の場合は弊社制作管理部（☎03-3239-6226）へ
ご連絡下さい。送料弊社負担にてお取り替えいたします。
ISBN4-569-64887-8

PHPの本

リクルート流 「最強の営業力」のすべて

大塚 寿 著

リクルート出身の人間は、なぜ各界で注目を浴びるのか。彼らの仕事の進め方をMBAのメソッドを駆使して分析し、論理化・体系化する。

定価 1,365 円
(本体 1,300 円)
税 5％

リクルート式 「最強の営業マネジメント」のすべて

大塚 寿 著

リクルートの営業力の源泉はマネジメントにあり！ リクルート式営業マネジメントをMBA的に分析した実践的ビジネス・マニュアル本。

定価 1,365 円
(本体 1,300 円)
税 5％

売れる営業、売れない営業

何が明暗を分けるのか

大塚 寿 著

ほんの少し方法を変えるだけで、あなたも勝ち組になれる！ 売れる営業マン／ウーマンになるためのコツを、営業プロセスごとに解説。

定価 1,365 円
(本体 1,300 円)
税 5％